GROEIEN DOE JE SAMEN

Albert Janssens & Emiel van Doorn

GROEIEN DOE JE SAMEN

Hoe stimuleer je de ontwikkeling van je kind?

————

𝕃 | LANNOO

Ontwikkelen.
Het papier dat het geschenk verbergt afnemen.
Zo ook met een kind:
hart en geest helpen ontwikkelen,
zodat het in zijn volle eigenheid
de weg naar zijn levensvervulling
kan ontdekken en bewandelen.

WWW.LANNOO.COM

Registreer u op onze website en we sturen u regelmatig een nieuwsbrief met informatie over nieuwe boeken en met interessante, exclusieve aanbiedingen.

OMSLAGONTWERP: Studio Jan de Boer
OMSLAGFOTO: Corbis
ILLUSTRATIES: Peter Sackx

© Uitgeverij Lannoo nv, Tielt, 2012, Albert Janssens en Emiel van Doorn
D/2012/45/257 – ISBN 978 90 209 3150 1 – NUR 854

INHOUD

Woord vooraf

Het is even spannend geweest. We waren nog maar net begonnen met dit boek, hadden amper een paar bladzijden geschreven, toen een van ons zich afvroeg waarom we een zoveelste boek over opvoeding wilden schrijven. Naast kook- en reisboeken zorgen ook opvoedingsboeken er immers voor dat onze boekenkasten uitpuilen. Tijd dus voor een diepgaand gesprek. We kwamen er (vlug) uit. Meer zelfs: we wisten na het gesprek waarom dit boek nodig is, misschien zelfs een leemte opvult.

We hebben het gevoel dat in deze tijd opvoeden sterk aangevoeld wordt als een 'technische' bezigheid. Als je met je kind zus en zo doet, dan komt het in orde. Als het niet lukt, is er wel ergens een programma dat je kan helpen. Was dat maar waar! Integendeel, wij zijn ervan overtuigd dat er geen handleiding bestaat die voor alle kinderen werkt. Kinderen zijn immers de meest individualistische wezentjes op deze wereld en ze ontwikkelen zich ieder vanuit hun eigen aanleg, in interactie met de mensen in hun omgeving en in hun eigen tempo.

Die aanleg is een moeilijk punt. Die is er al bij de geboorte. Het zijn de potenties die in elk kind aanwezig zijn: de voorraad aan mogelijkheden die zich stuk voor stuk kunnen ontwikkelen. Precies die ontwikkelingsmogelijkheden benadrukken we in dit boek. Kinderen ontwikkelen hun mogelijkheden niet alleen; ze doen dat in relatie met elementen uit hun omgeving. De belangrijkste elementen zijn de mensen om hen heen. Een kind zal zijn unieke mogelijkheden pas kunnen ontwikkelen wanneer het met volle energie in relatie kan treden met die mensen. In die zin zijn kinderen afhankelijk van hun ouders.[1] Meer zelfs: *kinderen ont-wikkelen zich door hun ouders!*

Op zich is deze gedachte niet echt nieuw. Er is echter meer. Iedereen die een kind krijgt, wordt op slag vader of moeder. Niemand van ons heeft voor die 'rol' gestudeerd. Ieder van ons tracht naar best vermogen die rol in te vullen. Soms zitten we met de handen in het haar, weten we het niet zo goed. De opvoedings-boeken bieden niet het pasklare antwoord waarop we hoopten. De reden hiervoor is juist dat elk kind uniek is. En wij moeten aan dat unieke kind een uniek antwoord bieden op de uitdagin-gen waarvoor het ons stelt. Zo kunnen wij ons ontwikkelen tot ouders voor dit kind. Wie meerdere kinderen heeft, ontwikkelt in zich meerdere ouders. De enige reden daarvoor is dat *we ouders worden door onze kinderen!*

Opvoeden is, met andere woorden, *tweerichtingsverkeer.* Dat is meteen ook het uitgangspunt van dit boek. Wie dit aanvaardt, begrijpt dat de kwaliteit van de interactie tussen het kind en zijn ouders van cruciaal belang wordt voor de ontwikkeling van bei-den. Opvoeden gebeurt *in wederkerigheid.*

Interactie, wederkerigheid, tweerichtingsverkeer, het zijn woorden die zich niet laten vangen in een programma of een cur-riculum. Het werkt niet van A naar B en dan van B naar C, om, als je geen enkel stapje overslaat, te komen tot het perfecte resul-taat. Integendeel, interactie is afhankelijk van alle elementen die op een bepaald ogenblik een situatie bepalen. En die kunnen om de haverklap wijzigen. We kunnen dan ook niet anders dan in dit boek een concept aanbieden: een breed kader dat in elke situatie

---

1 We gebruiken in dit boek de term 'ouder(s)' voor iedereen die zich met de ont-wikkeling van kinderen bezighoudt. Dit zijn in de eerste plaats de ouders en de grootouders, maar ook alle professionals die deze opdracht hebben. Wanneer we 'ouder' vervangen door een persoonlijk voornaamwoord (hij/zij), gebruiken we steeds 'zij' omdat tot op heden de opvoeding vooral door vrouwen wordt verzorgd, zowel thuis als in kinderdagverblijven en scholen.

kan worden ingezet en dat kan leiden tot een kwaliteitsvolle, wederkerige interactie tussen het kind en zijn ouder.

Hoewel de vele thema's binnen het concept stuk voor stuk wetenschappelijk onderbouwd zijn – we presenteren de referenties nauwgezet – hebben we getracht er een 'leesboek' van te maken. Massa's voorbeelden ondersteunen de theorie en het visuele kader, en de tekeningen van Peter Sackx maken het geheel gemakkelijker verteerbaar.

Met dit concept zijn wij al jaren onderweg en we hebben mogen ervaren dat het werkt voor elk kind! We schreven dit boek dan ook niet voor ouders die een kind hebben met een bepaald ontwikkelingsprobleem (hoewel het concept ook voor hen zijn diensten volop kan bewijzen). Dit boek is voor elke ouder.

We stellen dus ook veel vertrouwen in jou, beste lezer. We hopen dat dit boek je niet onberoerd laat. We hopen dat je nu en dan eens glimlacht, dat je soms eens zucht, dat je je af en toe boos maakt, dat je ons misschien hier en daar ongelijk geeft, dat je over dat ene kleine zinnetje discussieert in je gezin of team. Maar we wensen je ook toe dat je vaak het gevoel mag hebben dat je goed bezig bent met je kind, dat heerlijke gevoel dat bevestiging heet. Als dat allemaal gebeurt, dan geef jij ons een prachtige beloning voor het schrijven van dit boek. Veel leesplezier!

Albert Janssens
Emiel van Doorn

Deel 1 •• De basis van ontwikkeling

1. Opvoeden... Een zaak van geloven in ontwikkeling!

Misschien verwondert deze titel je. Natuurlijk geloven we allemaal in ontwikkeling. Natuurlijk geloven we dat een hoge mate van zelfstandigheid en onafhankelijkheid mogelijk is als onze kinderen opgroeien tot volwassenen. En toch...

Een waargebeurd verhaal...

Een man van over de veertig meldt zich bij een therapeut. Hij heeft zich opgewerkt tot bedrijfsleider van een middelgroot loodgietersbedrijf met zeventien werknemers, dat actief is in grote nieuwbouw- en renovatieprojecten.

Aanvankelijk komt de therapeut niet te weten wat hem bezielt, gaat ervan uit dat hij onder de stress zit. Pas in de vierde sessie komt de kern van zijn probleem naar boven: ze hebben hem gevraagd om voorzitter te worden van een organisatie waarvan hij als hobbyist lid is. Hij durft deze functie niet op zich te nemen omdat hij... niet kan schrijven.

Wat is er gebeurd?

Toen hij in het eerste leerjaar/groep 3 zat, vond er in het laatste trimester een gesprek plaats tussen de leerkracht, de moeder en iemand van de pedagogisch-medische studiebegeleiding (het vroegere PMS). De man zelf stond er als jong kind bij en luisterde mee. Hij hoorde dat de mevrouw van het PMS tegen zijn moeder zei: 'Mevrouw, uw kind zal steeds moeite blijven houden met schrijven. Dat zal altijd een groot probleem zijn.'

De jongen had deze boodschap goed gehoord en vond schrijven vanaf dat ogenblik het ergste wat er op de wereld was.

De leerkracht had de boodschap goed gehoord en deed niet veel inspanningen meer om de jongen te leren schrijven. Specialisten hadden immers gezegd dat de resultaten nooit denderend zouden zijn en zie... het werd nog waar ook. Ze informeerde dus haar collega's dat ze niet te veel zouden moeten investeren om hem te leren schrijven.

De ouders hadden de boodschap ook goed gehoord en legden zich neer bij het onvermijdelijke. Ze waren al tevreden dat de andere cijfers van hun zoon heel goed waren.

De jongen schikte zich naar wat zijn omgeving van hem dacht en leerde amper schrijven... In de psychologie noemen we dit een selffulfilling prophecy (zaken die waar worden omdat we er alles aan doen om ze waar te laten worden), maar de realiteit is voor deze man in kwestie veel harder dan de mooie term die de psychologie erop plakt.

Is deze man een uitzondering? Absoluut niet! In ons werk met ouders, zeker met ouders van kinderen met een ontwikkelings-probleem, blijkt hoe vaak beperkingen al vanaf de geboorte wor-den voorspeld en ook nog worden bewaarheid als ze maar hard genoeg geloofd worden.

Als je dit boek tot het einde door wilt nemen, moet je weten dat ons uitgangspunt anders is. Wij vertrekken vanuit het onvoor-waardelijke geloof dat ieder mens onbeperkte mogelijkheden heeft om zich te ontwikkelen. En hoewel dit geen boek is dat spe-cifiek is geschreven voor ouders van kinderen met een handicap van welke aard dan ook, stellen we hier ook duidelijk: elk kind met een handicap heeft onbeperkte mogelijkheden om zich te ontwikkelen.

Dit is geen droom en we blijven daarbij graag realistisch. Dit betekent dat we aanvaarden dat iedereen geboren wordt met een bepaald rugzakje aan potentieel, mogelijkheden, dat bij de een veel meer inhoud heeft dan bij de ander. Maar ook geloven we dat die mogelijkheden nooit voor honderd procent worden ontwik-keld. Met andere woorden: ontwikkeling is een levenslang pro-ces. We weten dat hierop uitzonderingen mogelijk zijn, mensen

die achteruitgaan, regrediëren, maar ook hier bevestigt de uitzondering de regel.

De vijf geboden van Feuerstein

Geloven in de onbeperkte ontwikkelingskansen van elk kind lijkt
een normale zaak, maar is dat wel zo? De ontwikkelingspsycholoog Feuerstein (1993b) presenteert in dit kader vijf aandachts-
punten:

1. 'Ik geloof dat ieder kind onbeperkte ontwikkelingsmogelijkheden
   heeft.'
2. 'Ik geloof dat ook dit kind onbeperkte ontwikkelingsmogelijkheden heeft.'
3. 'Ik geloof dat ik dit kind kan helpen in zijn ontwikkeling.'
4. 'Ik geloof dat ik mezelf ook kan ontwikkelen.'
5. 'Ik geloof dat de omgeving veranderbaar is.'

1. Ik geloof dat ieder kind onbeperkte ontwikkelingsmoge- lijkheden heeft

Op het eerste gezicht lijkt dit best aanvaardbaar en dat gaan we
dan ook doen.

2. Ik geloof dat ook dit kind onbeperkte ontwikkelingsmo- gelijkheden heeft

Wanneer het eerste aandachtspunt vanzelfsprekend is, dan lijkt
dit tweede punt wel overbodig. En toch is dit niet zo. In de praktijk zien we dat de meeste ouders hieraan beginnen te twijfelen
wanneer hun kind problemen heeft.

*Een leerkracht (die ik vanuit eerdere ervaringen als zeer vakbe-
kwaam beoordeel) zegt me: 'Albert, ik ben het honderd procent
met je eens. Maar die ene jongen in mijn klas... Met hem ben ik
aan mijn plafond.'*

Waarom zei ze dit? Die jongen was zeven jaar. In de voorbije maanden waren zijn ouders gescheiden en had hij heel wat energie gebruikt voor fysieke veranderingen (tandwisseling en een bijna abnormale groei). Bovendien was hij niet een van de allerslimsten. Dit alles zorgde ervoor dat de jongen de laatste maanden achterop was geraakt in rekenen, lezen en schrijven. Geen wonder. Met zijn (beperkte) energie was het al een geluk dat hij er niet onderdoor was gegaan. Maar de evaluatie van de leerkracht betrof reken- en taalresultaten, en daar liep het inderdaad niet goed. Het feit dat de jongen zich ondertussen wel fysiek ontwikkelde en emotioneel overeind bleef, lag niet binnen haar evaluatiesysteem. Maar ook hij kende ontwikkeling in deze periode.

3. Ik geloof dat ik dit kind kan helpen in zijn ontwikkeling

Deze stelling heeft twee punten om over na te denken. Het eerste punt betreft het gegeven dat wij kinderen niet kunnen ontwikkelen. Dat moeten ze zelf doen. De enige, maar dan ook zeer verantwoordelijke taak van de ouder is het kind voluit ondersteunen en kansen bieden, opdat het zijn eigen ontwikkeling optimaal kan waarmaken.

Het tweede punt betreft het geloof in onze eigen mogelijkheden om het kind te ondersteunen. De kans is groot dat we allemaal wel mensen in onze omgeving kennen van wie we weten dat ze het niet meer zien zitten met hun eigen kind, leerling, of welke rol het kind voor hen ook heeft. Professionals vragen dan meestal om het kind over te plaatsen naar een andere klas, leefgroep, vereniging... Maar voor ouders ligt dat veel moeilijker. Zij kunnen hun kind niet zomaar 'droppen'. Zij moeten er meestal mee verder, hoe moeilijk dat soms ook is. Door te stellen dat we allemaal de mogelijkheden hebben om kinderen te ondersteunen bij hun ontwikkeling, leggen we de verantwoordelijkheid bij onszelf: wij zullen het moeten doen. Ouders kunnen niet anders; tegen professionals kunnen we echter zeggen: als je niet meer gelooft dat jij dit kind in zijn ontwikkeling kunt steunen, wees dan tenminste professioneel genoeg om het toe te vertrouwen aan iemand die nog wel gelooft in zijn mogelijkheden met betrekking tot dit kind. Maar je moet ook beseffen dat het volgende aandachtspunt mogelijkheden biedt...

4. Ik geloof dat ik mezelf ook kan ontwikkelen

Het gevoel dat je het soms niet meer weet, dat je nu wel alles hebt ingezet wat je in je hebt aan vaardigheden en competenties, is voor velen onder ons niet vreemd. Bij ouders van kinderen met een beperking of met probleemgedrag komt dit vaker voor, andere ouders hebben ook weleens dit gevoel, bijvoorbeeld wanneer hun kinderen gaan puberen. De vraag is dan waarom het niet meer lukt. Ook professionals kennen dit gevoel.

Deze ouders en professionals gaan dan vaak raad vragen, volgen een cursus, lezen een boek. Wat is de betekenis hiervan? Die is eenvoudig: ze geloven dat goede raad, een cursus, een boek, hen verder kan helpen doordat ze inzichten verwerven en vaardigheden trainen, waardoor het misschien wel weer zal lukken.

Als schoolcoaches binnen het thema 'probleemgedrag' kregen we steeds meer de vraag voorgelegd hoe scholen kunnen reageren op het probleemgedrag van kinderen van allochtone afkomst. Dit thema was voor ons eerder onbekend. Probleemgedrag op zich kenden we wel vanuit onze onderwijspraktijk, maar met deze doelgroep hadden we weinig ervaring. We volgden een aantal cursussen, gegeven door pedagogen, psychologen en sociologen van allochtone afkomst, en lazen een reeks boeken en artikelen over dit onderwerp. Daarna trachtten we de opgedane kennis te integreren in wat we al hadden aan bagage. Al heel snel ervoeren we dat scholen onze inspanningen zeer waardeerden, omdat ze met onze nieuwe inzichten verder konden.

Als de opvoeding van de kinderen goed verloopt, gaan ouders zelden op zoek naar eigen ontwikkeling. Maar op het ogenblik dat er wat fout dreigt te gaan, stellen ze vragen, volgen ze opleidingen, gaan ze googelen. Als ze niet zouden geloven dat deze acties hen kunnen helpen om hun problemen op te lossen, zouden ze deze inspanningen waarschijnlijk niet leveren. Misschien is het wel de reden waarom jij dit leest. Dan mag je jezelf een pluim geven voor je initiatief!

5. Ik geloof dat de omgeving veranderbaar is

Deze stelling is in sommige situaties moeilijk te verdedigen. Vaak horen we ouders klagen over de wijze waarop anderen (grootouders, vrienden, buren, kinderverzorgsters, leerkrachten, opvoedsters...) binnen hun omgeving reageren op wat ze doen met kinderen. 'We kunnen ze toch niet veranderen...', is een veelgehoorde klacht. Wanneer je het echter goed aanpakt en de nodige redenen geeft waarom je een aantal zaken wilt of doet, is veel mogelijk. Proberen dus!

Een moeder van twee gezonde kinderen klaagde over de kritiek van haar moeder op de manier waarop zij haar kinderen opvoedde. Haar reactie was om haar steeds minder met de kinderen te bezoeken, want dan hoefde zij al die kritiek niet te slikken. Daardoor kreeg ze natuurlijk nog meer kritiek, die ook steeds ongefundeerder werd omdat oma haar kleinkinderen niet meer te zien kreeg en dus weinig van de opvoeding zag. Na een consult bij een therapeut nam de moeder haar kinderen weer mee en ze leerde de kinderen vragen te stellen waarop oma kon antwoorden. Daarnaast gaf ze uitleg waarom ze bepaalde dingen deed en ze leerde om haar moeder een complimentje te geven wanneer die een leuke opmerking naar haar kleinkinderen maakte of er iets leuks mee deed. Zeer vlug veranderde ook het gedrag van oma ten aanzien van haar dochter. Ze werd raadgever in plaats van

criticaster en leerde ook stap voor stap haar dochter te waarderen
als moeder van haar kinderen.

De moeder uit het voorbeeld leerde dat ze mensen in haar omgeving een andere 'bril' kon laten opzetten ten aanzien van de opvoeding die zij haar kind bood. Haar omgeving werd weer ondersteunend in plaats van afbrekend. Maar ook in dit voorbeeld is het geloof dat het mogelijk is om de ander tot nieuwe inzichten te brengen, de eerste stap om er werkelijk iets aan te doen.

Het geloof in ontwikkeling is het uitgangspunt. Daarnaast is kennis van de ontwikkeling een goed hulpmiddel om binnen dat geloof de goede stappen te zetten die ontwikkeling mogelijk maken. We bespreken in de volgende paragrafen enkele mijlpalen met betrekking tot ontwikkeling.

Het wordt steeds duidelijker wat 'ontwikkeling' betekent

In de loop der jaren hebben opvoedkundigen veel theorieën geformuleerd over wat ontwikkeling precies betekent. Sommigen waren van mening dat bij de bevruchting het belangrijkste werk al was geleverd *(nature)*, anderen geloofden in de kracht van de omgeving *(nurture)*. Ondertussen weten we dat nature én nurture hun rol spelen. Deze kennis wordt steeds preciezer dankzij een toenemend inzicht in het functioneren van de hersenen. De voorbije twintig jaar is er op dit gebied grote vooruitgang geboekt, waardoor vroegere inzichten beter bevestigd of ontkend kunnen worden. Door steeds verfijndere meetapparatuur om hersenfuncties te meten, wordt dit gebied, dat erg lang onontgonnen bleef, nu veel helderder.

We geven hier geen uitgebreide technische uiteenzettingen, maar we willen wel de belangrijkste ontdekkingen binnen dit terrein vermelden omdat ze nu eenmaal de kern vormen van het verhaal dat tot een volwaardige ontwikkeling van je kind leidt. Ontwikkeling is immers een verhaal van de hersenen...

Stel je even voor...
Een kind dat wordt geboren komt plotseling in een totaal andere wereld terecht. De beleving van deze nieuwe wereld moet voor elk kind overdonderend zijn. Dit komt vooral omdat de pasgeboren baby geconfronteerd wordt met een storm aan nooit eerder opgedane zintuiglijke prikkels. Voor het eerst krijgt de baby via zijn tastzin directe ervaringen met de buitenwereld. Hij is nog niet volledig geboren, of de dokter of verloskundige raakt hem al aan om bij de laatste wee baby en moeder te helpen. Daarna wordt hij gewassen en 'in doeken gewikkeld'. Dat kleine naturistje zal nooit meer de situatie van mama's buik kunnen ervaren.

Ook via de reukzin moet de baby volledig nieuwe prikkels verwerken, aangename en onaangename geuren wisselen zich af. We merken dat de baby nog het liefst tegen het naakte lichaam van mama ligt. Dat herkent hij. Die geur kan hij zeer vlug plaatsen.

De meeste geluiden in zijn omgeving zijn nieuw. Wetenschappers gaan ervan uit dat baby's geluiden vanuit de baarmoeder herkennen. Ze zouden met de stem van de moeder bijvoorbeeld al heel vertrouwd zijn.

Oefening: een veilige, vertrouwde omgeving voor je kind
Ga gemakkelijk zitten in je huiskamer, doe je ogen dicht gedurende een aantal minuten en luister naar de geluiden. Waarschijnlijk kun je ze plaatsen: de hond van de buren die blaft of hun haan die kraait, de wind die door de schoorsteen giert, de vaatwasmachine die zacht zoemt binnen de Europese ecologische normen enzovoort. Doordat we deze geluiden kunnen plaatsen, voelen we er ons ook veilig bij.

Toen we een paar winters geleden plotseling onder het dak een geluid hoorden van een lopend dier en we allerlei dingen hoorden rollen, waren we erg verontrust. Wat gebeurde daar? Navraag bij de echte 'buitenlieden' van het dorp leerde ons dat waarschijnlijk een steenmarter de weg onder ons dak had gevonden en dat de rollende voorwerpen noten waren die hij meenam om rustig in ons huis te verorberen. Omdat we wisten wat de geluiden betekenden, waren we gerustgesteld en was het alleen nog zaak om die ongewenste bezoeker uit huis te krijgen.

De geluiden thuis zijn je vertrouwd. Ergens in je hersenen zijn ze opgeslagen en hebben ze een betekenis gekregen binnen een 'veilige' omgeving. Voor een pasgeboren baby is dat echter anders. Voor hem zijn die geluiden aanvankelijk onbekend en daardoor weet hij niet of ze wel veilig zijn.

Laten we tot slot ook even stilstaan bij de voeding. Zeker zo belangrijk als de smaak is het feit dat de baby voor het eerst echt moet werken voor zijn eten. Hij moet leren zuigen, en liefst genoeg om een periode toe te komen. Anders heeft de baby een gevoel dat hij eerder normaliter niet heeft ervaren: honger. Dat is een onaangenaam gevoel.

En juist daarover gaat het in deze vaststellingen. Al deze meestal onbekende prikkels komen via de zintuigen naar de hersenen van de baby. Die heeft in die hersenen nog niet de nodige kennis opgeslagen om de prikkels te kunnen herkennen en er een waardering van goed of slecht, veilig of gevaarlijk aan te geven. Er zijn nog geen mapjes gevormd waarbinnen hij al deze ervaringen kan opslaan. Het enige wat de baby met deze prikkels kan doen, is ze ervaren als aangenaam of onaangenaam. Hoe de baby de prikkel ervaart, is te zien aan het gedrag dat hij stelt. Greenspan (1999) zegt terecht dat het vinden van rust binnen deze storm van prikkels de eerste emotionele ontwikkelingsstap is die een kind op deze wereld moet zetten. De baby leert zichzelf te reguleren.

Hoe wij hem daarbij kunnen helpen, komt verder in dit boek nog uitgebreid aan bod.

De hersenen op het ogenblik van de geboorte

Op de dag van onze geboorte hebben we het grootste aantal hersencellen (neuronen) in ons leven, wel tot een getal van negen cijfers. Grote hoeveelheden hersencellen zullen verdwijnen, maar dat is helemaal niet erg, want we hebben er genoeg. Wel is het zaak om zo veel mogelijk hersencellen te behouden die we nodig hebben om goed te kunnen functioneren en onszelf te ontwikkelen.

Voor dit behoud kunnen we zorgen door de baby prikkels te geven die verbindingen (synapsen) leggen tussen hersencellen. Hoe vaker verbindingen tussen hersencellen worden herhaald, hoe sterker ze zullen worden, waardoor hun overlevingskansen stijgen. Deze noodzaak om verbindingen te maken, blijft een leven lang bestaan. Het is de basis van de ontwikkeling van mensen. Juist omdat we weten dat dit proces van cellen verbinden geen eindpunt heeft, kunnen we blijven geloven dat ontwikkeling ook een levenslang proces is.

Vroeger dacht men dat bij kinderen alleen het gedrag kon worden beïnvloed. Sinds de techniek ons toelaat om de hersenwerking beter te leren kennen, weten we dat we ook structuren tussen de hersencellen kunnen wijzigen. Zulke hersenstructuren worden langzaam opgebouwd. Bepaalde, steeds terugkerende situaties geven steeds eenzelfde soort prikkels naar de hersenen. De hersenen herkennen deze prikkels en geven er steeds eenzelfde reactie op. Zo ontstaat een structuur, een patroon, dat we zeer vlug kunnen inzetten in een bepaalde situatie.

Wanneer je in je auto rijdt en er gebeurt iets onverwachts in je omgeving, dan kun je het beste niet nadenken over wat je moet doen. Je laat onmiddellijk het gaspedaal los en je remt snel en krachtig. Ergens in je hersenen heeft zich door de vele honderd-duizenden kilometers die je al reed een structuur gevormd die je onbewust kunt inzetten. Wanneer je echter in een vreemde auto rijdt, zal deze structuur je soms hinderen om de juiste reactie te geven.

Dit voorbeeld geeft aan dat onze hersenen structuren opbouwen die ons in 'gewone' omstandigheden goed kunnen helpen. Zulke structuren ontstaan dus door de verbindingen die tussen hersen-cellen tot stand komen via prikkels uit de omgeving.

Dit hoopvol gegeven stelt ons echter ook voor een opdracht. Wat we bij de geboorte aan ontwikkelingspotentieel meekre-gen, is als braakliggende grond die goede zorg nodig heeft om de vruchten te geven waartoe hij in staat is. Als die verzorging niet optimaal is, zullen we er nooit de maximale vruchten van pluk-ken. Anderzijds weten we dat zandgrond minder mogelijkheden (potentieel) heeft dan leemgrond. Zo ook bij kinderen. Ze komen elk met hun eigen ontwikkelingspotentieel op de wereld. Welk potentieel een kind ook heeft meegekregen bij zijn geboorte, het kan slechts worden benut wanneer er met veel goede zorgen in wordt geïnvesteerd. Door in de opvoeding te investeren, zal het kind meer kansen hebben om zijn mogelijkheden zo goed moge-lijk te ontwikkelen.

Om zijn potenties zo goed mogelijk te ontwikkelen, heeft het kind mensen nodig binnen zijn omgeving. Wanneer wij deze mensen zijn, zijn wij medeverantwoordelijk voor de ontwikke-ling van het kind. Van ons wordt dan verwacht dat we interve-niëren in het ontwikkelingsproces van het kind. Dat vraagt niet alleen tijd, maar ook kennis.

Dit heeft ook tot gevolg dat wij ons samen met het kind zullen ontwikkelen. We zijn immers alert op de handelingen die bij ons kind reacties veroorzaken en we gaan deze handelingen inzetten om die reacties uit te lokken. Zo leert ons kind ons wat wij het beste kunnen doen.

Recent hersenonderzoek bewijst onomstotelijk dat wat we doen met kinderen – al vóór de geboorte – de ontwikkeling van hun hersenen beïnvloedt. Sterker nog, de interactie van mensen met het kind is de sterkste factor om hersenen te beïnvloeden.

We weten nu dat de hersenen een 'sociaal' orgaan zijn. Wat en wie we worden, ontwikkelt zich in verhouding tot andere mensen, niet in isolement. Dat geldt dus voor de verschillende ontwikkelingsgebieden. Als ik me ontwikkel binnen een omgeving waarin fysieke prestaties erg belangrijk worden geacht, dan is de kans groot dat ik me – telkens binnen mijn 'natuurlijke' mogelijkheden – fysiek sterk ontwikkel. Groei ik op in een gezin waarin veel tijd is voor emoties, dan maak ik meer kans dat die vaardigheden zich ook bij mij gezond ontwikkelen. Deze periode in het leven van de baby is echter ook zeer gevoelig voor het ontwikkelen van stress.

De hersenen reageren op elke prikkel die binnenkomt door het produceren van elektrische en chemische signalen die de hersencellen met elkaar verbinden. Wanneer deze verbindingen regelmatig worden herhaald, worden ze steviger, vormen ze langzamerhand structuren die zullen bepalen hoe mensen zich verder zullen ontwikkelen. Dit gebeurt het sterkste in het eerste anderhalve levensjaar, waarin ook de hersenen veel harder groeien dan daarna.

Belangrijk hierbij is ook voor ogen te houden dat elk kind met een eigen 'blauwdruk' (Gerhardt, 2004) op de wereld komt. Dat betekent dat iedere baby vóór de geboorte reeds een zekere manier van reageren heeft op gebeurtenissen. Of deze aanleg zich verder goed of slecht zal ontwikkelen, heeft in grote mate te maken met de manier waarop die baby vanuit zijn eigenheid zal worden 'opgevangen' door de omgeving. Een van nature 'gevoelige' baby zal bij ouders die hierop niet echt sensitief reageren, uitgroeien tot een moeilijke baby. Baby's die van nature wat 'onafhankelijkheid' willen, maar de hele tijd worden geknuffeld, maken ook kans uit te groeien tot vervelende baby's. We zouden hieruit kunnen concluderen dat baby's vanuit hun standpunt gezien, erg moeilijke ouders kunnen hebben. Wat hier echt belangrijk is, is de gevoeligheid van de ouder voor haar kind. Hoe vlug leert de ouder haar kind 'lezen'? Hoe goed leert ze omgaan met de aangeboren emotionele behoeften van haar kind?

Hersenen groeien. De celdeling vindt plaats in de hippocampus. Deze celdelingen verminderen echter bij stress. Stress wordt veroorzaakt door gebeurtenissen en zorgt ervoor dat het natuurlijke innerlijke evenwicht in de mens wordt verstoord. Dit kan heel positief zijn. Een sprinter die bij de start van de 100 meter geen stress heeft, maakt weinig kans om die te winnen. Maar stress kan ook negatief zijn en de ontwikkeling verstoren, ook die van de groei van de hersenen.

In de theorie wordt een onderscheid gemaakt tussen acute stress en sluipende stress. Stress kan acuut zijn – bijvoorbeeld bij een kind dat aan de kassa in de supermarkt niet krijgt wat het wil en daar voor alle betrokken partijen een ernstig stressmoment van maakt. Stress kan ook sluipend zijn – bijvoorbeeld bij kinderen die worden verwaarloosd. Voor beide soorten beschikken we over een apart systeem dat ervoor zorgt dat ons lichaam gepast reageert op de gebeurtenis en zich vlug herstelt. Het lichaam maakt stresshormonen aan. Voor acute stress maakt het adrenaline en noradrenaline vrij, die ervoor zorgen dat we meteen zeer alert zijn en reageren. Voor sluipende stress maakt het cortisol aan.

Op zich is dit weer een mooi verhaal over de wonderlijke werking van ons lichaam. Ook hier moeten we echter een kanttekening plaatsen. Een langdurige toename van stresshormonen leidt immers tot beschadiging van de hersenen, meer bepaald tot het verminderen van de celdeling in de hippocampus (Kahn, 2006) en dit kan reeds plaatsvinden vanaf de zesde maand van de zwangerschap.

Stress wordt dus veroorzaakt door gebeurtenissen in ons leven. Deze gebeurtenissen komen de hersenen binnen via onze zintuigen. Daar wordt er betekenis aan verleend. Dit gebeurt vooral in de amygdala, een klein, amandelvormig orgaantje. Van daaruit wordt ook een reactie op de binnenkomende gebeurtenis gedirigeerd. Die reactie is zowel uitwendig (gedrag) als inwendig (regulering van de stresshormonen). Tussen het binnenkomen van wat er gebeurt en het reageren erop, zit echter nog een andere factor: de emotie.

Onderzoek heeft uitgewezen dat mensen die de wereld ervaren als bedreigend, gevaarlijk, onzeker... veel meer stresshormonen ontwikkelen dan ze zullen verbruiken, met alle gevolgen voor de ontwikkeling van de hersenen.

Wat betekent dit alles voor het thema van dit boek? Kinderen ontwikkelen zich vanuit interactie met hun omgeving. Deze interactie is geen eenrichtingsverkeer. De actie van de baby zorgt voor een reactie bij zijn ouder. De actie van de ouder zorgt voor een reactie bij de baby. We beïnvloeden elkaar voortdurend. Wanneer een van beide partijen een 'onverwachte' reactie geeft, is het zoeken naar het vervolg van de interactie. Mogelijk is ook dat de interactie dan stilvalt.

> Het resultaat van de ontwikkeling in de eerste levensjaren is afhankelijk van het aantal aangename affectieve, sociale en emotionele ervaringen die een kind opdoet in die periode, maar ook van het aantal onaangename ervaringen.

Toen dit duidelijk was, werd een belangrijke onderzoeksvraag natuurlijk hoe we de structuur van de hersenen kunnen beïnvloeden en dat is het thema van de volgende paragraaf.

Hoe kunnen we de structuur van de hersenen beïnvloeden? Ook deze vraag beantwoordde de wetenschap. En wat meer is: het antwoord houdt in dat elke ouder die beïnvloedingsmogelijkheid heeft! Maar dat is tevens de valkuil van het verhaal: de oplossing lijkt zó eenvoudig dat vele ouders denken dat ze het ook doen. Jammer genoeg moeten we dit tegenspreken. Niet alleen uit onderzoek, maar ook uit ons werk blijkt dat handelingen die vanzelfsprekend lijken in het leven van alledag helemaal niet zoveel worden verricht als we zelf geneigd zijn te denken.

Over welke handelingen gaat het dan? Klein (1996) publiceerde een aantal onderzoeksresultaten met betrekking tot deze vraag. Ze formuleerde vervolgens een top zeven van handelingen – zij noemt het het *ABC of love* – die bij jonge kinderen (vooral baby's en peuters) de sterkste verbindingen tussen hersencellen tot stand brengt.

- Liefdevolle aanraking
- Beurt nemen
- Fysieke nabijheid
- Oogcontact
- Glimlach
- Stemgebruik
- Vreugde delen

Aan dit *ABC of love* is echter een belangrijke voorwaarde verbonden waar we in het vervolg van dit boek voortdurend aandacht aan moeten blijven besteden: interactie vraagt om wederkerigheid.

Geen interactie zonder wederkerigheid

Als dit boek zich wil onderscheiden tegenover andere boeken over opvoeding, dan is dat in de eerste plaats door de nadruk die we leggen op het feit dat opvoeding en ontwikkeling een proces is dat alle betrokkenen samen maken: ouders beïnvloeden hun kinderen, kinderen beïnvloeden hun ouders. En dit wederkerige proces van beïnvloeding maakt dat we kunnen stellen dat kinderen én ouders zich ontwikkelen dankzij die andere partij. Ouders worden meer ouder door hun kind. Als er een tweede kind komt, merken ze dat wat werkte bij het eerste kind, niet op dezelfde wijze werkt voor het tweede. Zo worden ze een nog betere ouder en krijgen ze de vaardigheden van opvoeden nog beter onder de knie. Ze zijn steeds ouder in wording!

Maar ook voor het kind geldt deze regel. Wanneer kinderen moeilijk in wederkerigheid kunnen treden met hun ouders – denk bijvoorbeeld aan kinderen met hechtingsproblemen of kinderen met autisme – dan zien we dat deze kinderen geremd worden in hun ontwikkeling.

Daarom is wederkerigheid een voorwaarde om te slagen in wat we met kinderen doen. Wat we onder wederkerigheid in de praktijk verstaan, wordt duidelijk aan het einde van dit hoofdstuk.

Het 'ABC of love' op een rijtje

Liefdevolle aanraking
Het deel in de hersenen dat zintuiglijke aanraking registreert, is groot in verhouding met andere delen en heeft daardoor, zeker in

de eerste levensfase, grote invloed op het kind. Liefdevolle aanraking kan voor een baby onder andere betekenen:

- Zachtjes over zijn rug wrijven terwijl je je baby tegen je aandrukt om een boertje te laten.
- Bij het verschonen tijd maken om even al spelend zijn buik te strelen.
- De tijd nemen om de baby over zijn wangen te strelen.

Als ze groter worden, blijven jonge kinderen deze liefdevolle aanraking nodig hebben. Hoe vaak hunkeren ze niet naar die warme knuffel, het schouderklopje? Wanneer het spannend wordt op tv, kruipen ze onder je oksel om zich te beschermen. Al dit soort momenten geven ons de gelegenheid om het kind liefdevolle fysieke prikkels te geven. Veel jonge moeders vinden die knuffel-momenten het zaligste van de babytijd. En dat is ook een van de eerste dingen die ze gaan missen als hun kind een kleuter wordt. 'Ze worden zo vlug groot.'

Belangrijk in deze liefdevolle aanraking is de intentie waarmee je het doet. Ben ik me als ouder bewust van de kracht van wat hier gebeurt?

Nu mogen ouders dubbel gelukkig zijn: in de eerste plaats vanwege die fijne momenten met hun kind, in de tweede plaats omdat ze nu weten dat ze daardoor tegelijkertijd grote invloed uitoefenen op de ontwikkeling van een gezonde hersenstructuur.

Belangrijk in dit verhaal van aanraking is dat we rekening moeten houden met de gevoeligheid van het kind, want die is bij elk kind anders.

- *Dries is een jongen die heel graag door zijn moeder wordt aan-gehaald. Hij kan er niet genoeg van krijgen wanneer mama hem oppakt en knuffelt. Hij zal heel vlug aangeven dat hij 'nog' wil, wat hij later ook zal zeggen. Papa die een boekje voorleest, moet altijd heel veel ruimte maken onder zijn arm om Dries toe te laten bijna*

in hem te kruipen. Nu is hij met zijn zes jaar nog altijd een flod-
deraar eerste klas.

• *Zijn zusje Minne is een ander type. Zij bepaalt wanneer er fysiek*
  contact is. Zij verwacht de knuffel wanneer zij erom vraagt, maar
  weert af wanneer de ouder zelf het initiatief neemt. Bij haar eerste
  tv-programma's en voorleesboekjes zat ze binnen het bereik van
  haar ouder (als het echt te spannend werd, moest die toch zeer
  vlug aangeklampt kunnen worden), maar het directe fysieke con-
  tact was niet gewenst. Zij is nu vier jaar en die trend houdt aan.

Vanwaar die verschillen? Dat doet niet zo ter zake. Belangrijk is
als ouder oog te hebben voor de behoefte aan lichamelijk contact
die het kind aangeeft en hierop in te gaan. En natuurlijk zijn er
kinderen die vanwege een stoornis met fysieke aanraking best
moeite hebben, zoals voor nogal wat kinderen met autisme het
geval is.

Een ander aspect dat binnen dit thema ook zinnig is om te
weten, is dat mensen lichamelijk contact elk op hun eigen manier
ervaren. Greenspan (2002) spreekt in dit verband zelfs over
ondergevoeligheid en overgevoeligheid.

• *Koen is nog een peuter en in de fase van zijn eerste woordjes, wan-*
  neer hij bij oma en opa regelmatig iets zegt dat lijkt op 'Hoor! Hoor!'
  terwijl hij met de vinger naar zijn oor wijst. Oma en opa beginnen
  hierop te letten telkens wanneer hij dit zegt, maar... horen niets.
  Pas later, als Koen het woord 'hond' kent en dit aangeeft als het
  geluid dat hij hoort, worden oma en opa zich ervan bewust dat
  Koen een heel scherp gehoor heeft. De hond woont immers bij de
  overburen in een kooi achter hun huis. Vanuit de woonkamer is dit
  met een normaal gehoor niet te horen...

• *Een studente vroeg tijdens een les in de vooravond of ze het licht*
  wat mocht dempen, want haar ogen deden pijn van het scher-
  pe licht in het lokaal. De andere studenten keken haar aan met

een blik van 'Wat mankeert die nu?'. Hoewel de leerkracht in dit lokaal al vaak les had gegeven, had hij nog nooit deze opmerking gekregen. Deze studente, dat bleek ook achteraf in een gesprekje, was overgevoelig voor lichtsterkte. Ze had daar in de zomer bij fel zonlicht vaker problemen mee.

Deze twee voorbeelden geven aan dat mensen overgevoelig kunnen zijn met betrekking tot een bepaald zintuig. Het is echter niet zo dat deze overgevoeligheid daarom onmiddellijk voor alle zintuigen geldt. Maar ook ondergevoeligheid bestaat.

Een kleuter reageerde tegenover zijn juf dat zij andere kinderen steeds knuffelde en dit bij hem nooit deed. De juf nam deze opmerking ernstig en onderzocht haar gedrag ten aanzien van dit jongetje. Toch had ze niet het gevoel dat het klopte wat hij zei. Maar in allerlei gedrag kwam wel naar boven dat hij steeds 'hard' contact met de dingen zocht. Kussens bijvoorbeeld waren niet aan hem besteed, hij zat liever op een harde stoel. Toen de juf zich bewust werd van zijn mogelijke ondergevoeligheid, zorgde ze ervoor dat een knuffel niet te zacht was. Ze drukte hem best stevig tegen haar aan. Al vlug bleek dat de jongen dit erg waardeerde. Hij kwam nu regelmatig zelf om een knuffel vragen.

Beurt nemen
Helena is één jaar. Ze zit bij opa op schoot. Samen spelen ze 'Ju, ju, paardje', waarbij opa haar op en neer laat wippen. Wanneer het liedje ten einde is en opa geen aanstalten maakt om verder te spelen, beweegt Helena haar hele lichaam op dezelfde wijze en in hetzelfde ritme als tijdens het zingen. 'O!', zegt opa, 'je wilt het nog eens doen?' Dit spelletje duurt liedje na liedje tot opa er echt genoeg van heeft.

Bij beurt nemen zorgen ouder en kind er samen voor dat het contact zo lang en zo zinvol mogelijk wordt voortgezet. Dit kan door een bepaalde situatie telkens te herhalen, zoals in bovenstaand voorbeeld, maar evenzeer door de situatie te veranderen en op die wijze toch de aandacht van het kind vast te houden.

Jens is een jonge peuter. Hij heeft net leren zitten en houdt zich in de woonkamer op het tapijt graag bezig met een kleine garage met verschillende poortjes. Niet zozeer de auto's, maar die poortjes intrigeren hem. Je kunt ze gemakkelijk open en dicht doen. Mama zit bij hem en ondersteunt zijn handelen door telkens 'open' en 'dicht' te zeggen. Na een kort, intens moment verschuift zijn aandacht naar de potjes die je in en uit elkaar kunt schuiven. Hij weet er in eerste instantie niet meteen iets mee te doen. Mama demonstreert met twee potjes hoe die in en uit elkaar kunnen, waarop Jens dit ook gaat proberen. Nu gebruikt mama ondersteunend de woorden 'in' en 'uit'.

Beurt nemen kan elke inspanning zijn die de ouder onderneemt om in contact te blijven met haar kind. De kracht van dit gebeuren ligt in het verlengen van de concentratie van het kind. Het leert zijn aandacht te rekken, waardoor het meer kans krijgt om de dingen om hem heen nauwkeurig waar te nemen. In Deel III zullen we hiervan het belang nog uitvoeriger aantonen.

Fysieke nabijheid

Mia is een goede slaapster. Als ze eenmaal slaapt, is ze voor een tijdje van de aardbol verdwenen. Het inslapen op zich verloopt echter steeds volgens een vast ritueel. Mama legt haar in haar bedje en steekt haar wijsvinger in de holte van Mia's hand. Die legt het puntje van die wijsvinger op haar voorhoofd, net tussen haar ogen. Nu kan ze inslapen en als dat is gebeurd, laat ze mama's vinger los en kan die verder haar eigen leven gaan leiden.

Elk kind wordt geboren als een ontdekkingsreiziger, met als ontwikkelingstaak het verkennen van de wereld. Maar daarvoor moet het zich wel veilig voelen. Die basisveiligheid wordt gegeven door de directe nabijheid van de aanwezige ouder. Dit is een van de moeilijkste opdrachten van de ouder. Op heel lange termijn is het de bedoeling dat het kind zijn eigen weg kan gaan. De vraag is dan ook wanneer, op welke wijze en in welke omstandigheden de ouder het kind verder 'loslaat'. Bij jonge kinderen, peuters, is deze vraag voor het eerst aan de orde wanneer ze vanuit zichzelf door de ruimte kunnen bewegen. Tot dan is het kind immers overgeleverd aan zijn ouder. Er is totale afhankelijkheid. Vanaf het ogenblik dat het kind leert zitten, en zeker bij het kruipen, is er sprake van een opzienbarende verandering. Het kind kan al een paar dingen alleen. Dit zegt echter niets over zijn behoefte aan fysieke nabijheid. Die behoefte kan bij elk kind erg verschillen.

Een jonge moeder klaagt. Haar eerste kind ervoer ze als heel zelfstandig. Het kon goed alleen spelen. Zij kon bijvoorbeeld in de keuken koken zonder dat ze naar haar peuter moest omkijken. Bij het tweede kind loopt dit helemaal anders. Bij dit kind moet ze voortdurend binnen zijn gezichtsveld zijn. Zelfs haar toiletbezoek zorgt steeds voor een stressmoment. Het kind begint dan hartstochtelijk te huilen en het troosten lijkt wel een eeuwigheid te duren. Mama voelt zich soms de gevangene van haar eigen kind...

Alle kinderen hebben regelmatig behoefte aan fysieke nabijheid van de ouder. Dit verschilt van kind tot kind, maar ook het tijdstip kan een rol spelen (als het kind moe is, is de behoefte meestal groter) of de activiteit waar het kind mee bezig is (een frustrerende of uitdagende activiteit kan de behoefte verhogen).

Ook bij dit element uit het *ABC of love* is het weer opvallend hoe kinderen zelfbepalend kunnen zijn bij het vragen naar deze lichamelijke nabijheid. Zij geven aan wanneer het kan, maar ook van wie ze het verwachten.

- *De baby speelt in de box met de mobiel boven zijn hoofd. Door met zijn voetjes tegen het speeltje te stampen, gaat dat heel erg bewegen en dan heeft hij de grootste lol. De buurvrouw komt even goeiendag zeggen en eist de aandacht van de baby op. Die heeft echter geen oog voor haar. Hij hoeft me vandaag niet, denkt de buurvrouw...*
- *Gerben is ruim één jaar. Papa helpt hem bij het eten. Dan rinkelt de telefoon. Mama neemt op, maar geeft hem na een tijdje door aan papa, die even wegloopt. Hiermee gaat Gerben niet akkoord en hij maakt dit duidelijk door te gaan huilen. Mama gaat bij hem zitten en wil hem verder helpen bij het eten. Gerben weigert, waarop mama hem uit zijn stoel pakt en hem troost. Wanneer Gerben rustig is geworden, kan hij terug in zijn stoel, maar eten doet hij pas nadat papa klaar is met zijn telefoontje.*

In al deze voorbeelden is het belangrijk dat de ouders zich niet afgewezen voelen. Daarover gaat het hier helemaal niet. Het geeft alleen maar aan dat een jong kind al heel goed weet en kan aangeven van wie het de nabijheid op dat ogenblik het meest nodig heeft.

Oogcontact

Goed oogcontact is zeer belangrijk voor de sociale en emotionele opvoeding van het kind. Het is een manier waarop kinderen mensen leren 'lezen'. In het oogcontact zie je het gehele gezicht van de ander en dat leert je veel over hoe die ander zich voelt, hoe die in de situatie staat. Kinderen leren vlug de gemoedstoestand van hun ouders ontdekken. Ze lezen die af van hun gezicht. Later zal deze vaardigheid erg van pas komen, want je hebt die immers dagelijks nodig in elk contact met een ander mens.

Onderzoek door Klein (1996) in landen waarin oogcontact cultureel ongewenst is, heeft uitgewezen dat dit invloed heeft op de sociaal-emotionele ontwikkeling van jonge kinderen.

Maar oogcontact doet nog meer. Het zorgt voor input in de hersenen, zodat er veel verbindingen tussen hersencellen tot stand worden gebracht. Daarom is het belangrijk dat de ouder oog heeft voor een goed oogcontact met haar kind.

Katrijn doet haar eerste aanzetten tot een brabbeltaaltje. Daarom neemt mama haar regelmatig op schoot, het kleine lichaam door beide handen ondersteund, waardoor Katrijns hoofd direct gericht is op dat van mama. Daarop begint mama te brabbelen. Katrijn wisselt haar blik voortdurend tussen mama's ogen en mond. Ze voelt zich vlug aangesproken om deel te nemen aan het gesprek. Het spreken is begonnen!

Vanuit het standpunt van de ouder is oogcontact van het kind naar jou niet alleen maar een doel. Het is wel het voortdurend uitdrukking geven aan de wens tot oogcontact. Je nodigt je kind uit om naar je te kijken, je kijkt als ouder ook heel bewust naar je kind. Je straalt de wens uit om je kind in de ogen te kijken.

Tevens houdt het een opdracht in voor de ouder: je tracht het oogcontact van je kind niet te missen. Wie vanuit het thema oogcontact kijkt naar videobeelden, merkt vaak dat kinderen oogcontact zoeken met hun ouder, zonder dat de ouder dit opmerkt. Omdat er geen wederkerigheid is, geeft het kind zijn poging tot oogcontact op. Als ouder moeten we proberen dit te vermijden.

Net zoals bij de vorige punten uit het *ABC of love* is oogcontact niet afdwingbaar. De gevoeligheid voor dit element varieert ook weer van kind tot kind. Sommige kinderen kijken je aan met een grote openheid, vol verwachting naar wat jij hun te bieden hebt. Andere kinderen mijden oogcontact, het is te direct voor hen. Hiervoor kunnen weer verschillende redenen zijn. Deze kinderen forceren tot oogcontact maakt het contact meestal alleen maar moeilijker, zodat het kind zich misschien nog meer gaat afsluiten. Dat wil echter niet zeggen dat we dan maar moeten ophouden met uitlokken tot oogcontact.

Als je kinderen die het moeilijk hebben met oogcontact iets wilt laten zien, dan is het goed om dat voorwerp voor je eigen gezicht te houden. Daardoor moet het kind zich richten naar jou en dat creëert mogelijkheden om elkaars ogen gemakkelijker te vinden.

Glimlach
Als kinderen de gezichten van hun ouders hebben leren lezen, zullen ze heel vlug de nuances in die gezichten ontdekken en er betekenis aan verlenen. Glimlachen is dan de gezichtsuitdrukking bij uitstek die aangeeft dat de situatie goed is, dat de ouder er zich goed bij voelt.

Lore (4 jaar) heeft zelf haar melk ingeschonken, maar daarbij wat gemorst op het tafelkleed. Verschrikt kijkt ze naar papa. Die heeft het gezien en weet dat het hier om een ongelukje gaat. Hij glimlacht naar Lore, die daardoor is gerustgesteld en even een doek gaat halen.

Een glimlach is niet alleen een zaak van de mond, hij straalt uit het hele gezicht: mond, rimpels rond de ogen, ogen die blinken... De ouder geeft met andere woorden een volledig beeld van welbevinden aan het kind. Het kind leert zeer snel dat dit signaal de tevredenheid van de ouder aangeeft. Meer zelfs, een glimlach kan ook een sterke vorm van aanmoediging inhouden.

Maar er is hier nog meer aan de hand. Wanneer het kind onze glimlach opmerkt en zich ervan bewust is, zal in de hersenen weer sterke verbindingsactiviteit tot stand worden gebracht.

Daarom is het als ouder belangrijk om te weten hoe duidelijk je glimlach is en of hij uitstraalt wat je bedoelt.

Een van de auteurs van dit boek heeft al zijn leven lang een baard met snor. Door met de thema's uit dit hoofdstuk bezig te zijn, onderzocht hij de hierboven gestelde vragen bij zichzelf. Hij kwam tot de vaststelling dat zijn glimlach maar een povere boodschap was. Veel bleef steken in de welige haarbegroeiing. Het werd het sein om een trimmer aan te schaffen en sindsdien zorgt hij ervoor dat zijn baard en snor nooit de omtrek van zijn mond verstoppen.

Glimlachen is echter geen pedagogische truck. Je glimlacht als ouder omdat je een boodschap wilt overbrengen waarin goedkeuring of aanmoediging zit, omdat je kind iets doet dat jou positief raakt, jou vertedert, jou aanzet om de actie met het kind verder vorm te geven.

Stemgebruik

Met de baard en de snor van vorig voorbeeld, gekoppeld aan een zware stem, ben je voor baby's en peuters bij de eerste kennismaking eerder een gevaar dan een toekomstige vriend. Wanneer een ouder je trots haar baby toont, is het ook altijd opletten geblazen. Binnen de kortste keren is die kleine immers aan het huilen, zonder dat je er iets voor hoeft te doen. Zijn kinnetje begint te trillen. Dan moet je een oude, eenvoudige truck toepassen: je zet je beste tenorstem op, je zorgt dat je mond en ogen vriendelijkheid uitstralen, je bent je bewust van je kraaienpootjes rond je ogen en kijk: het werkt! Het trillen van de kin houdt op en je kunt je basstem weer laten klinken, ook als je tot het kind spreekt. Doe je dit niet, dan is de kans op een huilbui en op een onaangename ontmoeting met moeder en kind heel groot.

Spreken is veel meer dan de woorden die we overbrengen. Voor jonge kinderen vormen die woorden maar een klein deel van de boodschap. Wat zij vooral van ons spreken meenemen, is het stemgeluid, de toonhoogte, de spreeksnelheid en de emotionele ondertoon waarmee we spreken. En dat vaak nog ondersteund door de rest van onze lichaamstaal. Maar daar wringt de schoen weleens. Onze woorden komen niet steeds overeen met de boodschap die andere kanalen uitzenden. In een drukke situatie die uit de hand dreigt te lopen, kan het best zijn dat de ouder verbaal nog steeds vriendelijke boodschappen geeft ('Wil je alsjeblieft blijven zitten en meewerken?'), maar dat haar stem bijna overslaat van ongeduld, dat zij rood aanloopt van boosheid enzovoort. Het vraagt heel wat vaardigheden van een kind om in die situatie de boodschap te begrijpen. Het krijgt er immers zo veel tegelijkertijd, en dan spreken ze elkaar ook nog eens tegen. Een goed positief stemgebruik wordt door jonge kinderen vlug herkend en als positief ervaren. Ook de emotie achter je stem leren ze heel snel interpreteren.

Uiteindelijk is aansluiting krijgen met je kind het doel in beide voorbeelden. Je wilt dat jullie samen iets gaan doen. Je stemgebruik nodigt uit, daagt uit, of stuurt waar nodig.

Net zoals bij de andere elementen binnen het *ABC of love* weten we nu dat het hier niet alleen maar gaat over een verstaanbare en daardoor ook eerlijke communicatie met onze kinderen, maar dat we door de wijze waarop we onze stem gebruiken ook zorgen voor stevige hersenverbindingen die de ontwikkelingspotenties, meegekregen bij de geboorte, positief zullen stimuleren.

Vreugde delen

De kleinkinderen zijn verzot op spinaziepuree met eitjes. 'Eitjes' in ons taalgebruik wordt weleens uitgesproken als 'eikes', hetgeen eveneens een uitdrukking is voor 'iets vies'. Ook de kinderen weten dat. Wanneer ze dan op bezoek komen bij de grootouders, vraagt opa steevast: 'En wat willen jullie eten? Jullie kunnen kiezen tussen ofwel spinaziepuree met ongelooflijk superlekkere worst ofwel spinaziepuree met eikes.' Bij het uitspreken laat opa het 'ongelooflijk superlekkere' en het 'eikes' er op de gepaste wijze en met de nodige grimassen uitkomen. Telkens opnieuw is het lachen geblazen en kan opa de doos met verse eieren uit de koelkast halen.

Vreugde zit hem in de kleine dingen. Er zijn zoveel zaken op een dag waar je samen vreugde aan kunt beleven. Er zitten twee uitdagingen in voor de ouder: in de eerste plaats het bewustzijn van die vreugdevolle momenten, in de tweede plaats ervoor zorgen dat ook het kind het vreugde 'delen' bewust ervaart. Wanneer het moment voorbijgaat zonder het bewustzijn samen vreugde te hebben ervaren, dan is dat een gemiste kans.

Vreugde delen is een sterke energieleverancier. Samen met kinderen lachen, maar ook de fysieke en verbale uitdrukking van het delen van de vreugde, zorgen voor goede chemie in de hersenen en zo voor goede verbindingen tussen de hersencellen.

Nogmaals: geen interactie zonder wederkerigheid!

Deze zeven elementen van het *ABC of love* zijn voor Klein (1996) de basis om te komen tot een goede interactie met jonge kinderen. Wanneer we kijken hoe ouders deze elementen bij hun kinderen toepassen, valt het op dat nog aan een andere voorwaarde moet worden voldaan om ze goed uit te voeren: de ouder moet oog hebben voor de 'wederkerigheid' van het kind. Met wederkerigheid bedoelen we dat de boodschap die de ouder naar het kind overbrengt, bij het kind ook moet aankomen. Waarom benadrukken we dit?

Op videobeelden zien we regelmatig ouders die zich tevergeefs enorm inspannen om de bovenstaande elementen in te zetten in de interactie met hun kind. Ze geven het kind oogcontact, maar het kind zelf kijkt niet naar de ouder; ze glimlachen naar het kind, maar het kind heeft er geen oog voor; ze uiten hun vreugde, maar het kind geeft geen tekenen van samen vreugde delen.

Het is dus zaak voor de ouders om ervoor te zorgen dat wat zij uitzenden, ook aankomt bij hun kind. De meeste kinderen zijn hierbij erg duidelijk in hun lichaamstaal. Als dat niet het geval is, moet de ouder via gerichte observatie leren op welke wijze het kind tekenen van wederkerigheid geeft.

Maar er is niet alleen de wederkerigheid van het kind naar de ouder. Ook het kind doet regelmatig een appel op de wederkerigheid van de ouder. Ook met betrekking tot dit aspect geven videobeelden aan dat er nog werk aan de winkel kan zijn.

- *Warre laat zijn tekening zien aan mama, die ondertussen aan het strijken is. 'Mooi hoor!' zegt mama, terwijl ze amper opkijkt. Al gauw leert het kind dat het niet veel zin heeft om tekeningen te laten zien als mama bezig is...*
- *Billie speelt paardje op de voet van papa terwijl die rustig verder zijn krant leest...*

Een vraag die ouders vaak stellen wanneer ze horen over het belang van de elementen van het *ABC of love*, is: 'Hoe sterk moeten we elk element benadrukken?' Het antwoord hierop is erg individueel. Klein gebruikt in dit verband de term 'mentaal dieet'. Het is voor een jong kind belangrijk dat het elke dag voldoende prikkels aangereikt krijgt uit die zeven elementen. In tegenstelling tot wat we gewoonlijk onder dieet verstaan, is er echter geen beperking, maar ook geen opgelegde hoeveelheid. De hoeveelheid prikkels is voldoende wanneer het kind het gevoel ontwikkelt dat het graag wordt gezien, vragen kan stellen, de wereld kan ontdekken en hieraan vreugde mag beleven.

Wel stelt Klein dat de elementen cultuur- én individueel gebonden zijn. Er zijn culturen waarbij oogcontact van een kind naar een volwassene gezien wordt als een teken van gebrek aan respect van het kind naar zijn ouders. In Zuid-Europa en Noord-Amerika is fysieke aanraking veel 'gewoner' dan bijvoorbeeld in Noord-Europa. Evenzeer zijn er binnen een bepaalde cultuur grote individuele verschillen. Sommige volwassenen hebben het binnen onze cultuur ook moeilijk met oogcontact, met een zekere uitbundigheid bij het beleven van vreugde of met fysieke aanraking. In hun rol van ouder zal dit zichtbaar zijn.

Dat betekent echter niet dat het jonge kind daardoor in de problemen komt. Ouders die hun stem eerder monotoon gebruiken, waardoor zowel stemgebruik als vreugde delen een probleem kan zijn, kunnen dit compenseren door een glimlach of door fysieke nabijheid. Het gaat er vooral om dat het kind voldoende krijgt van deze zeven elementen, en dat elke dag opnieuw. Het belang daarvan merk je zeer vlug bij je kind zelf. Peuters zullen, wanneer ze de keuze hebben tijdens een activiteit (bijvoorbeeld op familiefeestjes), spontaan degene kiezen die hun deze elementen van het *ABC of love* geeft.

Het *ABC of love* zorgt vooral voor de affectieve ontwikkeling van het kind: het leert zich veilig te voelen, het leert te vertrouwen, het leert rustig te blijven… Allemaal factoren die het mogelijk maken dat het kind zijn wereld durft te verkennen vanuit een gevoel van geborgenheid. Daarom is het *ABC of love*, met een voortdurend oog voor wederkerigheid, een goede basis voor de latere totale ontwikkeling van het kind.

2. Het belang van cultuur

Waarden, normen, overtuigingen en verwachtingen

Hoe kinderen naar zichzelf kijken, de wijze waarop ze hun gevoelens uitdrukking geven, hoe ze zich gedragen binnen het gezin, het kinderdagverblijf of de kleuterschool, wordt sterk beïnvloed door waarden, normen en overtuigingen van waaruit we verwachtingen creëren. Deze elementen kunnen sterk verschillen van plaats tot plaats en ze veranderen door de tijd heen. Als in een gezin de norm is dat tijdens de maaltijd de voorbije dag wordt besproken, terwijl in de schoolkantine tijdens het eten moet worden gezwegen, dan zijn dat voor het kind twee verschillende boodschappen.

Cultuur is een veelomvattend begrip. In dit boek bedoelen we ermee: alle gewoonten, waarden, normen, overtuigingen, communicatievormen en rituelen die deel uitmaken van het dagelijkse leven in het gezin, het kinderdagverblijf, de school, de jeugdbeweging enzovoort.

In mensen, ook reeds in zeer jonge kinderen, zien we patronen van menselijk gedrag die onderliggend deze elementen tonen. Wanneer we ons bewegen binnen 'andere' culturen, zien we onze eigen kenmerken uitdrukkelijker naar voren komen.

Iedere school, elke klas heeft een eigen cultuur. Vanuit ons werk als coach in scholen is het dan ook telkens een uitdaging om de vinger te leggen op de belangrijkste cultuurelementen. Dat gaat dan over begrippen als structuur versus chaos, overlegcultuur versus richtlijnencultuur, reflectiecultuur versus instructiecultuur.

Zo heeft ook elk gezin die talloze kleine details die uiteindelijk dit gezin uniek maken: chocopasta alleen 's morgens op de boterham, een avondritueel om de kinderen te slapen te leggen, iedereen heeft zijn vaste plaats aan tafel.

Deze voorbeelden zijn 'gewoonten'. We denken er meestal niet over na, ze zijn vaak onbewust in onze structuur terechtgekomen, ze zorgen ervoor dat het dagelijkse leven een vaste en daardoor rustige gang kan gaan.

Oefening: kleine gewoonten

Datgene wat jouw gezin, kinderdagverblijf of school zo specifiek maakt, is vaak datgene wat een babysit of nieuwe collega's zeker moeten weten wanneer ze jouw taken overnemen. Schrijf voor jezelf een aantal van die kleine gewoonten op.

Denk in je opsomming ook na over kleine 'gewoonten in de interactie' tussen jou en je kind.

Die kleine gewoonten zijn ons leven binnengeslopen omdat ze ons dagelijkse handelen ondersteunen. Daardoor besteden we er meestal pas weer aandacht aan als ze opeens niet meer werken. Ze zijn er echter niet zomaar. Deze gewoonten zijn ook gebaseerd op waarden en normen. Die zijn niet zo expliciet aanwezig, tenzij het dingen zijn waarmee het gezin zich onderscheidt, bijvoorbeeld één dag per maand zonder tv en computer of het gebruik van homeopathische geneesmiddelen.

Maar het gaat nog dieper, het gaat namelijk ook over overtuigingen die ouders in de loop van hun leven erop na houden. We hebben onze overtuigingen binnen ons werk, over de politiek, over de beste sportman, over goede opvoeding, de kenmerken van goed ouderschap, de rol van ouder zijn...

Misschien heb je aan bovenstaande vragen nog nooit veel aandacht besteed. Het is echter best mogelijk dat in geval van conflicten het fundamenteel over de antwoorden op deze vragen gaat: je vindt dat je grootouders zich te veel met de opvoeding bemoeien, dat de school je kinderen te vrij laat of juist te weinig ruimte geeft tot zelfstandige ontwikkeling...

Ook over de normen met betrekking tot 'goede' of 'slechte' ouders of opvoeders kan veel worden gezegd. Wanneer we deze oefening doen in trainingen, dan is het meest gegeven antwoord: 'Eigenlijk bestaat dat niet. Iedereen heeft wel iets goeds in zich.' Voor deze opvatting is natuurlijk wat te zeggen, maar wanneer een conflict zich aandient, gaan we vlug anders spreken en worden deze woorden wel gebruikt.

De avond voor we deze passages schreven, liepen we om halfelf naar ons hotel in Belfast. Op straat liep de ene na de andere groep jongeren, zwaar beschonken, andere voetgangers lastig vallend. We schatten ze meestal tussen twaalf en veertien jaar oud. Onze eerste gedachte was: waar zitten de ouders van deze kinderen en wat doen ze wanneer hun kind thuiskomt? En terwijl we dit nu overdenken, zoeken we naar allerlei verontschuldigingen voor

deze ouders, maar blijven we toch met dat wrange gevoel zitten
dat er geen excuses voor deze situatie zijn.

De laatste vraag van de oefening, 'Hoe zie je de toekomst van je kind', is ook van groot belang voor de ontwikkelingskansen die kinderen zullen krijgen. We leven in een maatschappij waarin de prestaties van je kind vanaf de geboorte op de weegschaal worden gemeten, letterlijk en figuurlijk. Wanneer je kind niet op het juiste moment de juiste lengte heeft, het juiste gewicht, kruipt, staat, loopt, de eerste woorden spreekt, dan word je op het consultatiebureau daar al vlug op geattendeerd om daar speciaal op te letten en de volgende keer krijg je de raad om een specialist op te zoeken. Dit is soms overdreven. Onze maatschappij is echter gericht op 'iedereen voldoet zo veel mogelijk aan de (erg hoog gestelde) normen'. Als je daar niet aan voldoet, dan ben je een zorgenkindje en dan moet je zo vlug mogelijk worden gerevalideerd. Als ouder weet je het allemaal niet, kun je het niet weten. Daardoor stellen ouders zich in op wat specialisten zeggen, hoe rampzalig de gevolgen daarvan ook kunnen zijn voor de ontwikkeling van het kind wanneer ze spreken vanuit het 'ideale kind'.

In Vlaanderen vond de minister van Onderwijs dat er te veel kinderen terechtkwamen in het buitengewoon onderwijs. Onder andere omdat dit veel geld kost en daar dus besparingsmogelijkheden zitten, zijn er in de loop der jaren steeds meer initiatieven genomen om hier wat tegen te doen. Zo ontstond bijvoorbeeld de functie van zorgcoördinator in het basisonderwijs. Het resultaat werd juist het omgekeerde van wat de bedoeling was. Nog meer kinderen werden verwezen naar het buitengewoon onderwijs.

Dat is logisch om onder meer de volgende reden. Een zorgcoördinator moet samen met zijn collega's kinderen opsporen die uit de boot (dreigen te) vallen. De personen in die functie hebben zich gespecialiseerd, signaleren snel leerproblemen en leerstoornissen, weten welke tests ze kunnen gebruiken enzovoort. Logisch dus dat de minste hapering bij een kind wordt opgemerkt. Daardoor komen er veel meer kinderen in het zorgcircuit. En daar zit nu precies het probleem. De wetenschap heeft al ontelbare keren aangetoond dat wanneer je maar hard genoeg gelooft dat er een probleem is, je juist die daden stelt die dat probleem zullen bevestigen. Zo wordt het probleem groter en krijgt de zorgverstrekker gelijk. Denk maar aan het voorbeeld van de man met zijn loodgietersbedrijf op p. 14.

Vooral voor kinderen met een handicap is deze wijze van denken rampzalig. Als je je fixeert op de handicap, verlies je het kind weleens uit het oog en help je een handicap ontwikkelen in plaats van een kind.

Anouk is een volwassen vrouw met het syndroom van Down. Ze schreef een boek dat werd uitgegeven door een officiële uitgeverij. Wanneer we dit vertellen op trainingen, moeten we ervoor zorgen dat we het boek meenemen, anders geloven de deelnemers ons niet. De overtuiging is dat mensen met het syndroom van Down geen boek kunnen schrijven. En toch is het er. De mogelijkheid hiervoor is gecreëerd op de dag van haar geboorte. Toen de dokter aan haar moeder vertelde welke ellende ze kon verwachten vanwege de handicap van haar kind, heeft die moeder onmiddellijk beslist: 'Maar niet met mijn kind!' Zij heeft Anouk de mogelijkheden gegeven die ze elk ander kind ook zou hebben gegeven en het resultaat is verbluffend. De moeder werkte niet met de handicap van haar kind, maar met haar kind zelf. Ook was ze bereid om te aanvaarden wat niet lukte, maar pas wanneer het een eerlijke kans had gekregen.

Dit voorbeeld betekent niet dat we plotseling van alle kinderen met het syndroom van Down schrijvers kunnen maken. Zo is het ook niet in de wereld van andere volwassenen. Niet elke lezer van dit boek is schrijver. Maar het houdt wel in dat we op zoek gaan naar de ontwikkelingsmogelijkheden van elk kind. En hier zitten we bij de essentie van het ontwikkelingsverhaal van elk kind. Als je kijkt naar de ontwikkelingsmogelijkheden van je kind, dan schrijf je samen met je kind een ander verhaal dan wanneer je kijkt naar wetenschappelijke ontwikkelingsschema's die je kind geacht wordt te volgen. In onze samenleving zijn bijvoorbeeld de cognitieve ontwikkelingsschema's van Piaget nog steeds de handleiding voor de ontwikkeling van kinderen. Wie achterblijft op het schema, loopt ook achter in zijn ontwikkeling, is de redenering. Spijtig voor kinderen die achterblijven, ondanks het feit dat ze ongelooflijk hard hun best doen...

Een psychologe van Turkse afkomst vertelde dat in haar gemeenschap een kind met een handicap op twee manieren kan worden bekeken: of het is een straf van Allah, of het is een beproeving van Allah. De interpretatie heeft grote gevolgen voor de opvoeding van het kind. Als het een straf is, zullen de ouders zich hiertegen niet verzetten. Ze zullen hun straf zo goed mogelijk aanvaarden, hetgeen betekent dat ze het kind en zijn handicap vaak zullen bevestigen. Als ze het als een beproeving zien, zullen ze trachten om die zo goed mogelijk aan te pakken en dan is de kans groot dat ze het kind vele ontwikkelingskansen zullen bieden.

Kenmerken van cultuur

Uit dit alles blijkt dat opvoeden niet iets is dat zomaar uit de lucht komt vallen. Het is het resultaat van overlevering, tradities, eigen verledens van twee mensen die samenkomen, en nog veel meer. Stof genoeg dus om daar als ouder regelmatig bij stil te staan. In professionele settings worden al deze beïnvloedingsfactoren in het werk van de professionals ook zichtbaar. Daarom is het belangrijk als organisatie (school, kinderdagverblijf...) goed te weten voor welke cultuur, welke overtuigingen je als groep staat. Regelmatige bezinning hierover is echt geen luxe.

Vragen die we ons daarbij kunnen stellen, gaan over de wezenskenmerken van cultuur. Deze kenmerken zijn:

- *Cultuur is aangeleerd door andere mensen binnen dezelfde culturele context.*
- *Cultuur wordt gedeeld door mensen die zich binnen een bepaalde culturele context bevinden.*
- *Cultuur is steeds in ontwikkeling.* Cultuur past zich op lange termijn altijd aan aan de omgeving waarin ze wordt beleefd. In een wereld waarin integratie een zeer belangrijk kenmerk is, zullen verschillende culturen zich voortdurend aan elkaar aanpassen. Het is dus niet zo dat de ene cultuur zich volledig zal aanpassen aan een andere, maar wel dat de verschillende culturen elkaar tegemoet zullen (moeten) treden.

In de Lage Landen werd de voorbije decennia heel veel energie gestoken in integratie, inburgering... Onderliggend was de doelstelling: hoe krijgen we 'vreemdelingen' zover dat ze zich volledig gaan gedragen zoals wij? Dit is een volledig verkeerde discussie. Wanneer we naar de realiteit kijken, zien we dat die 'zogenaamde' vreemdelingen al heel veel veranderingen in onze eigen cultuur teweegbrachten.

- *Cultuur is universeel.* Ieder mens, elke organisatie heeft een eigen cultuur.

De kansarmoede in onze contreien neemt sterk toe. Steeds meer gezinnen krijgen het moeilijk om actief deel te kunnen nemen aan de samenleving. Armoede heeft bepaalde effecten op verschillende terreinen. Zo wordt het steeds duidelijker welke impact armoede heeft op de ontwikkeling van het emotionele welbevinden van jonge kinderen. Wanneer een opvoeder gelooft dat armoede eigen culturele kenmerken heeft, dan zal hij het gemakkelijker vinden om kinderen te benaderen vanuit die cultuur. Wanneer hij echter overtuigd is van het grote gelijk van zijn eigen cultuur, dan is de kans groot dat hij in zijn opvoedingswerk 'tegenover' het kind staat en ermee in conflict komt, in plaats van met het kind de weg naar ontmoeting te bewandelen.

Stilstaan bij cultuur is binnen het kader van dit boek een nood-zaak. Er is immers een wederkerige relatie tussen cultuur en ont-wikkeling. Als kinderen nieuwe vaardigheden leren, dan leren ze tegelijkertijd over hun eigen cultuur. Het is binnen die eigen cul-tuur en vanuit die eigen cultuur dat de behoefte aan een nieuwe ontwikkelingsstap zal worden gecreëerd.

Andere culturen tegemoet treden, verrijkt het leven van men-sen. Dit kan echter alleen maar wanneer ieder zich goed bewust is van zijn eigen cultuur en er goed in gedijt. Anders zorgen andere culturen voor een bepaalde onzekerheid die gevoelens van onvei-ligheid en angst oproept. Omdat het voortdurend integreren van andere culturen met de eigen cultuur een eeuwenoude opdracht is, kunnen ouders hun kinderen het beste richten op drie waar-den: wederzijds respect, samenleven en wederkerigheid.

Tips voor het opvoeden binnen een eigen culturele identiteit

- Zorg voor goede routines in je gezin of op je werkplek. Ze geven kinderen het gevoel van deelgenootschap, erbij horen. Daarnaast bieden ze een veilig gevoel vanwege de voorspelbaarheid. Hoe sneller routines worden aangeleerd, hoe beter.
- Laat kinderen stilstaan bij de elementen van hun eigen cultuur. Gebruik hiervoor bijvoorbeeld foto- en filmmateriaal, liedjes, verhalen, versjes... Vestig de aandacht van kinderen op cultuur-kenmerken op het ogenblik dat ze zich manifesteren.
- Geef kinderen de kans om met andere culturen in contact te komen, ook met kinderen van andere culturen.

- Verklaar kinderen waarom andere mensen sommige dagelijkse dingen anders doen dan wat kinderen gewoon zijn vanuit hun eigen cultuur.

3. Ook kennis is binnen de opvoeding belangrijk

Kijken naar de totale ontwikkeling

- *Mama roept de kinderen voor het middageten. Yvan (2,5 jaar) ziet de soep in zijn bord dampen.*

  'Heet?' vraagt hij aan mama.

  'Nee, de soep is warm. Je kunt ze eten.'

  'Warm, niet heet.' Yvan kauwt de woorden nog even na alsof hij ze wil voorproeven.

  'Juist als de soep heet is, moeten we wachten of blazen. Anders verbranden we onze tong.'

  'De soep is niet koud, hè, mama?'

  'Nee, deze soep is niet lekker als ze koud is. Die moeten we warm eten.'

  'Boterhammen met choco zijn wel koud, hè?'

  'Ja, die eten we koud. Eet nu je soep maar op, anders wordt ze koud en is ze niet lekker meer.'
- *Een opa vertelt: 'Toen ik in Ecuador mijn dochter, schoonzoon en mijn negen maanden oude kleindochter bezocht, maakte mijn dochter zich zorgen omdat Mia nog geen aanstalten maakte om te kruipen. Toen ik haar bezig zag, werd de reden hiervoor me onmiddellijk duidelijk: er was voor Mia geen enkele behoefte om te leren kruipen. Bij gebrek aan een kinderbox in dat land, had mijn dochter een groot plastic zwembad gekocht en daarin zat Mia mooi recht te blinken tussen al haar speeltjes. Als ze wat wou hebben, hoefde ze zich maar uit te strekken om het te pakken. Ik stelde mijn dochter voor om Mia op het tapijt in de grote woonka-*

mer te zetten en er de speeltjes zo over te verspreiden dat ze meer
inspanning moest doen om ze te pakken. Na wat momenten van
frustratie en boosheid, begon Mia inspanningen te doen om zelf-
standig te bewegen. Na een aantal weken kroop ze.'

Heel lang hebben wetenschappers de verschillende ontwikkelingsdomeinen als aparte onderwerpen bestudeerd en beschreven. De cognitieve ontwikkeling stond los van andere ontwik-
kelingen en veel tests uit die tijd worden nu ten onrechte nog
steeds als grote waarheid gebruikt om diagnoses te stellen en er
de nodige conclusies aan te verbinden. Motorische ontwikkeling
werd pas in de jaren zeventig psychomotorische ontwikkeling,
waardoor het bewegen gekoppeld werd aan een doelgerichtheid.
En pas in de jaren negentig schonken we, dankzij Goleman (1996)
en Damasio (1999), aandacht aan de emotionele ontwikkeling. De
eindtermen met betrekking tot sociale vaardigheden werden nog
maar goed twintig jaar geleden in het Vlaamse onderwijs inge-
voerd en kregen daardoor extra aandacht. Alles in aparte vakjes.
    Maar zo werkt het niet. We weten ondertussen, dankzij de
explosie van inzichten in de ontwikkelingspsychologie, dat ontwikkeling niet in aparte vakjes plaatsvindt. Kinderen met een
motorische handicap maken veel kans om ook cognitief achterop
te raken ten aanzien van hun eigen mogelijkheden. Kinderen met
autisme hebben het vaak moeilijk vanwege deze contactstoornis
om cognitief en emotioneel hun potenties optimaal te ontwikkelen. Baanbrekend werk ten aanzien van deze nieuwe inzichten
verrichtten Greenspan en zijn vele medewerkers, die ontwikkeling als een geheel gingen zien en op zoek gingen naar de verschillende globale ontwikkelingsstappen die kinderen in hun
eerste levensjaren moeten zetten om hun ontwikkelingspotenties zo goed mogelijk aan te kunnen spreken. Kennis van deze
ontwikkelingsstappen is voor ouders nuttig, niet alleen omdat
ze daardoor hun kind beter gaan begrijpen in zijn ontwikkeling,

maar ook omdat het zo veel vreugde geeft te herkennen wat die vele dingen die een kind leert in die eerste levensjaren betekenen voor zijn verdere leven. Die ontwikkelingsstappen beschrijven we in dit hoofdstuk. Eerst is het echter wel nuttig om inzicht te verwerven in de manier waarop ontwikkeling dan wel plaatsvindt, indien het niet via verschillende vakjes is.

Laten we even stilstaan bij het voorbeeld hierboven van de soep. Yvan ziet zijn soep dampen en stelt daar een bepaalde verwachting tegenover: ze is heet. Dat kan hij alleen maar weten als hij eerdere ervaringen heeft opgeslagen die te maken hadden met 'damp' en 'heet' en daardoor de kennis heeft opgedaan dat wat dampt, heet is. Moeder gaat dat in dit gesprek nuanceren: ook wat warm is, kan dampen. En bovendien, sommige dingen moeten warm worden gegeten om lekker te zijn. Elke bewuste waarneming veroorzaakt een effect, een emotie, roept een verwachting op. Deze verwachting steunt op eerder opgedane ervaringen met de daaraan gekoppelde emoties. Meer zelfs: wat ik waarneem kan anders zijn dan wat jij waarneemt, juist omdat de emotie die ermee gepaard gaat kan verschillen. Mijn vader eet zijn soep graag zó heet dat ik het gevoel heb dat ik dan mijn mond verbrand. Soep die mij past, vindt hij dan weer lauw. Elke ervaring vindt bovendien plaats in een bepaalde context die ook zorgt voor een inkleuring en een individuele emotie. Zo heeft het kerkje waar je huwelijk werd ingezegend, voor jou een heel andere waarde en vormt het een heel ander begrip dan voor de toevallige voorbijganger die verder niets anders dan de historie van het kerkje kent.

Persoonlijke behoefte

Wat Yvan in het voorbeeld doet, is eerder opgedane ervaringen generaliseren, veralgemenen en een conclusie trekken: wat dampt, is heet. Dat kan echter alleen door een voorafgaande emotionele beleving. Door dat generaliseren creëert Yvan bovendien een verwachting. Hij verwacht dat alles wat dampt, ook heet zal zijn. Al dan niet bewust beseft mama dat ze zijn ervaringen moet uitbreiden, dat sommige dingen moeten dampen om lekker te zijn. Daardoor zal Yvan zijn kennis over heet, warm of koud uitbreiden en bestaat de kans dat hij een volgende keer, wanneer hij iets dampends op zijn bord ziet, de behoefte zal voelen om te vragen of dit oké is. En over die behoefte, die verwachtingen die we ingevuld willen weten, gaat het wanneer we het over ontwikkeling hebben.

> Kinderen moeten de persoonlijke behoefte ervaren om ontwikkelingsstappen te zetten.

Het voorbeeld van Mia illustreert dit overduidelijk. Zolang zij in het goed afgebakende zwembadje zit, waarbinnen al haar verwachtingen met een kleine inspanning (strekken en pakken) worden ingelost, zal zij geen behoefte ontwikkelen om te gaan kruipen. Pas wanneer die verwachtingen niet meer worden ingelost en er niemand in de buurt is die het voor haar oplost, zal ze een behoefte ontwikkelen en inspanningen leveren om die behoefte te laten verdwijnen.

Deze gedachtegang heeft een zeer belangrijke consequentie voor elke ouder: wat het kind alleen kan, moet het zelf doen. Als het kind het kan met een beetje hulp van ons, dan kan het die hulp krijgen tot waar het nodig is. Met deze vorm van 'loslaten' hebben veel ouders het moeilijk.

De emotionele-ontwikkelingsstappen van Greenspan

We bespreken nu de verschillende ontwikkelingsstappen die kinderen volgens Greenspan (2002) moeten zetten om zich harmonisch te kunnen ontwikkelen.

1. Betekenis geven aan gewaarwordingen

We merkten al eerder op dat na de geboorte de baby de wereld totaal anders gaat waarnemen dan daarvoor in de baarmoeder. Via de zintuigen stromen massaal veel en onbekende prikkels naar de hersenen. Vanzelfsprekend zorgt dit daar voor een heel chaotische beleving.

De baby kan zichzelf en wat hij meemaakt ook nog niet als aparte gehelen zien. Zijn waarneming is algemeen, er zijn geen nuances mogelijk. Hij beleeft wat er gebeurt als een geheel en hij zit er zelf volledig in. Hij is een deel van de situatie. Daardoor is er nog geen plaats voor nuances en zal hij op een situatie ook steeds ongenuanceerd reageren.

Bovendien zijn ook zijn gevoelens nog erg primair; ook hier zijn er geen nuances. Dat zorgt ervoor dat verdriet, pijn, boosheid, vreugde in een bepaalde situatie allemaal voor honderd procent worden beleefd.

Door dit alles kan de baby een basisgevoel van onveiligheid ontwikkelen. Wat is dat met die wereld waarin hij is terechtgekomen? Hij begrijpt er niets van. Als gevolg daarvan kan de baby in een constante staat van stress komen te leven, hetgeen negatieve gevolgen heeft voor zijn ontwikkeling. De eerste ontwikkelingsstap die hij moet zetten, is dan ook heel duidelijk: het vermogen om zijn eigen gemoedstoestand te regelen; we noemen dat zelfregulatie. Wanneer een baby dit kan, wanneer hij langzamerhand leert om binnenkomende prikkels te ordenen, zal hij een gevoel van basisveiligheid ontwikkelen. Dat betekent dat de baby situaties begrijpt en er gericht naar gaat handelen.

- *De baby ligt wakker in zijn wiegje. Broer Pepijn gaat voor het wiegje staan, bukt zich om zich te verstoppen en komt met een brede glimlach en een vrolijk 'Kiekeboe!' tevoorschijn. De eerste keer zal de baby niet-begrijpend kijken. Wanneer Pepijn dit echter herhaalt, zal hij aanvoelen dat er een leuke interactie plaatsvindt en gaan kraaien telkens wanneer zijn broertje verschijnt. Wanneer Pepijn weer onder de wieg verdwijnt, zal de baby verwachtingsvol kijken naar de plaats waar hij tevoorschijn moet komen...*
- *Mama kan het haast niet geloven, maar telkens wanneer Femke (3 maanden) huilt voor voeding en mama haar eerst een slab aandoet, stopt het huilen. Femke heeft al door dat na de slab de borst komt en stopt dan met haar hulpsignaal.*

Wanneer een baby in staat is om, ondanks de stroom van binnenkomende prikkels, innerlijke rust te bewaren, merkt zijn omgeving dat hij ook in onverwachte situaties weer vlug zijn evenwicht hervindt. Deze baby heeft geleerd dat de wereld niet vergaat bij het minste wat er gebeurt. Hij ontwikkelt al binnen de eerste maanden een basisvertrouwen in het leven van elke dag.

Het spreekt voor zich dat de omgeving van het kind een belangrijke rol kan spelen om deze basisvaardigheid van zelfregulatie te helpen ontwikkelen. Ouders kunnen hun kind helpen bij het ontwikkelen van zelfregulatie door veel en gericht met hem in interactie te treden. Beide partijen, ouders en kind, leren elkaar op deze manier kennen. Ouders leren wat hun kind deugd doet, wat het in paniek brengt, wat het ontevreden stemt, wat boosheid uitlokt, wat rust geeft... Ouders leren deze gevoelens bij hun kinderen herkennen en erkennen. Dat laatste betekent ook dat het kind ze 'mag' beleven.

Kleine Jonas heeft een hekel aan een vuile luier. Hij wordt er wakker van, begint dan te huilen en wordt pas rustig wanneer hij verschoond is. Daarnaast heeft hij de slechte gewoonte om zijn grote

behoefte te doen zo'n kwartiertje nadat hij te slapen is gelegd. Zijn
kinderoppas weet dit ondertussen en ze pakt tussen het te slapen
leggen en het verschonen geen andere taak aan. Ze weet toch dat
ze haar werk zal moeten onderbreken om Jonas te helpen.

Een belangrijk doel binnen deze ontwikkelingsstap is het kind
leren aandacht te geven. Het heeft daarbij weinig zin om de omgeving van de baby van veel speelgoed te voorzien. Het belangrijkste
middel om aandacht op te wekken, is de interactie met de baby.
Als ouders ervoor zorgen dat hun kind met hen vele momenten
van intense interactie beleeft, is de kans heel groot dat hun kind
een rustige basishouding ontwikkelt, van waaruit een gevoel van
veiligheid kan ontstaan. Het gaat hierbij om zeer eenvoudige
dingen zoals een baby die leert zijn hoofd te draaien in de richting van waaruit het geluid komt of die leert het gezicht van zijn
ouder te zoeken wanneer die daarop aanstuurt. Zo leert hij rust
te vinden en zich te richten op de dingen die veel in zijn omgeving voorkomen. Dat zal hem helpen wanneer hij in onbekende
situaties komt en het veel moeilijker is om die innerlijke rust te
bewaren. Op dat ogenblik kunnen de ouders het oriëntatiepunt
zijn dat hun baby helpt om zich veilig te blijven voelen.

Het is zomer en de hele familie is bijeen voor de jaarlijkse barbe-
cue. Natuurlijk is Liesbeth (2 maanden) de grote attractie van het
feest; niet iedereen heeft al de kans gehad om de kersverse ouders
te bezoeken en iedereen wil dat nieuwe wondertje weleens in zijn
armen nemen. Dat is echter niet naar de zin van Liesbeth, die in
de vierde vreemde arm een keel opzet. Wanneer papa haar over-
neemt en zachtjes tegen haar praat, komt ze tot rust. Sommigen
familieleden vinden al dat Liesbeth te veel wordt beschermd,
maar die bedenking lapt papa (gelukkig) aan zijn laars.

Tips

- Onderzoek wat je kind graag observeert, betast, waar het naar grijpt, op welke geluiden het reageert... Observeer ook welke dingen onaangename reacties oproepen.
- Onderzoek welke bewegingen je kind plezierig vindt: hoe het graag wordt opgepakt, gewiegd, of het graag fietsbewegingen met de benen maakt, over de buik wordt gewreven, met de armen bewegingen maakt...
- Onderzoek op welke wijze je je kind tot rust kunt brengen. Heeft het een favoriet liedje, een favoriete wijze van gewiegd worden, een bepaalde knuffel die troost brengt...?
- Laat geen gelegenheid onbenut om je kind de kans te geven je gezicht te leren kennen. Til je kind op boven je hoofd en trek zelf allerlei gezichten waarvan je zult merken dat je kind ze zal willen imiteren.
- Onderzoek welke momenten van de dag de geschiktste zijn om met je kind te spelen. Dit betekent: de momenten waarop je kind veel energie heeft. Gebruik deze momenten om met je kind bezig te zijn. Tijdens de eerste drie maanden is de regel dat je minstens de helft van de tijd dat je baby wakker is, met hem in interactie bent. Ook de voedingen en het badmomentje maken deel uit van die interactietijd.

2. Intimiteit ontwikkelen en gehecht raken

Als de baby heeft geleerd om de wereld om hem heen rustig te ontvangen en geboeid te raken in alles wat er zich afspeelt, gaat hij zijn aandacht richten naar zijn meest aanwezige opvoeders. Hij wil hen beter leren kennen, gaat hen uitnodigen om met hem samen dingen te doen. Dit gebeurt nog niet in dialoog, het is nog geen vraag-en-antwoordspelletje, maar eerder samen, synchroon. Het is van groot belang dat de ouder ingaat op de uitnodigingen tot communicatie die de baby nu voortdurend stuurt. Dit gebeurt met alle mogelijke middelen die zijn lichaam heeft:

mimiek, geluid, strekken van armen, andere lichaamsbewegingen... De baby geeft voortdurend aan dat hij zijn ouder aanwezig wil hebben, en niet zomaar aanwezig, liefst in actieve interactie. Op die wijze leert de baby zijn ouders steeds beter kennen, leert hij hen lezen, ontwikkelt hij 'kennis' over welke gemoedstoestand van de ouder overeenkomt met welke mimiek of stem... Zo leert de baby zijn plaats innemen in het gezin of in de groep waarbinnen hij veel tijd doorbrengt.

Oma neemt de baby in haar armen en houdt hem recht voor haar, zodat hij haar gezicht goed kan waarnemen. Als oma breed glimlacht en ervoor zorgt dat heel haar gezicht deze vrolijkheid uitstraalt, is de kans groot dat de baby een lachbekje gaat trekken. Wanneer oma haar voorhoofd fronst en een bedenkelijk gezicht trekt, zal de baby bedenkelijk gaan kijken. Als oma aantrekkelijke geluidjes maakt, kan de baby dit proberen te imiteren...

Ouders weten dat hun baby deze ontwikkelingsstap bereikt, wanneer er bij hem meer wederkerigheid te zien is. Hij reageert gerichter op hun signalen en gaat ze ook uitlokken door hen bijvoorbeeld heel gericht aan te kijken of door geluidjes te maken tot ze hem opmerken en reageren.

Het gevolg is dat de baby een gevoel van eenheid ontwikkelt met andere mensen. Er komt in zijn beleving langzamerhand een onderscheid tussen de wereld van de dingen om hem heen en de wereld van de relaties. Waar hij aan het einde van de vorige periode nog kon liggen kirren om een voorwerp dat doelloos bewoog, zal dit nu steeds meer gebeuren in relatie met mensen. Er wordt samen gekird, gelachen, plezier beleefd, soms ook verdriet. Op die manier hecht de baby zich steeds meer aan zijn intimi. Precies daar ligt het allergrootste belang van deze ontwikkelingsstap: hechting is immers de basis voor elke vorm van ontwikkeling. Wie zich nog de beelden herinnert van de kinderen in de weeshuizen in Roemenië of in Bulgarije, weet het belang ervan. Hoewel deze kinderen geen absoluut gebrek hadden aan voedsel, gingen sommigen letterlijk dood aan verwaarlozing. Mensen hebben mensen nodig waaraan ze zich kunnen hechten vanaf het begin van hun leven.

Dat betekent dat ouders voor hun kinderen tijd zullen moeten vrijmaken.

Tijdens de oudertrainingen die we geven met betrekking tot dit thema, is een van de opdrachten om in de volgende periode elke dag tien minuten 'eerlijke tijd' per kind vrij te maken. Onder eerlijke tijd verstaan we tijd die exclusief wordt vrijgemaakt om met je kind bezig te zijn. Er staan dan geen aardappelen op die je in de gaten moet houden, er wordt geen telefoon opgenomen, er staat geen tv aan en geen computer die aangeeft dat je weer een berichtje ontvangt, wat jou zal afleiden omdat je dan toch wel nieuwsgierig wordt. We schrokken zelf van het commentaar nadat ouders dit gedurende twee weken hadden gedaan en weer naar de volgende cursusavond kwamen. Meestal hebben we twee soorten reacties. Er zijn ouders die zeggen dat ze het niet hebben gedaan. En er zijn ouders die de opdracht wel uitvoeren en die steeds aangeven, en dat is ondertussen al vele trainingen lang het geval, dat hun relatie met hun kind er in die twee weken opmerkelijk op vooruit is gegaan. Natuurlijk, en gelukkig, zijn er ook ouders die er zich van bewust worden dat ze dit al lang doen. Maar het zegt toch iets over de dagelijkse kwaliteit van communicatie die kinderen mogen ontvangen...

Vanaf deze periode in het leven van hun kind krijgen ouders een overaanbod aan speelgoed en verrijkingsprogramma's die allemaal pretenderen dat ze de ontwikkeling van kinderen ten goede komen. Wat al deze verkooptechnieken niet vermelden, is echter dat ze waardeloos zijn wanneer deze speeltjes en methoden 'bij het kind worden neergelegd'. Alleen wanneer ze middel zijn om als ouder met je kind gericht in interactie te treden, werken deze dingen ook ontwikkelingsstimulerend.

De secretaris van een rijke Vlaamse gemeente vertelde in 2010 dat de meeste opvoedingsondersteuning door de gemeente werd aangeboden in een chique wijk. Hij gaf aan dat de kinderen daar materieel niets tekortkwamen, integendeel zelfs, je kon gerust spreken van een grote materiële verwennerij. Uit zijn ervaringen bleek echter dat er een groot emotioneel tekort was doordat de ouders veel te weinig tijd vrijmaakten voor hun kinderen. De hulpverlening moest bij steeds jongere kinderen worden opgestart.

Doordat kinderen zich aan hun ouders gaan hechten, gaan ze zich ook steeds meer interesseren voor datgene waarmee hun ouders bezig zijn. Op die wijze werken ouders als richtingaanwijzers die het kind de wereld intrekken. De baby zal steeds meer de grote waarde van menselijke relaties ervaren. Dit zal leiden tot een groei van het zelfbesef. Door het feit echter dat de vraag van de baby naar communicatie vaak positief wordt beantwoord, zal hij zichzelf ook als waardevol gaan ervaren: een eerste aanzet tot de groei van het zo belangrijke zelfrespect.

Tips
- Onderzoek wat je kind prettig vindt. Je kind leeft nog steeds in een toestand van volledige afhankelijkheid. Maar dit zal spoedig veranderen wanneer het kind zelf zich door de ruimte kan bewegen. Nu echter is het nog afhankelijk van jouw aanbod, vooral het communicatieve aanbod. De vraag is op welke wijze je kind het liefst met jou communiceert. Heeft je kind graag voortdurende communicatie of wil het graag momenten van rust, van alleen bezig zijn? Heeft je kind behoefte aan iemand met een wat

opgewonden houding zodat het mee in die energie kan stappen, of heeft het een voorkeur voor een rustiger iemand?

- Onderzoek ook wat je kind niet prettig vindt. Ook dat laatste is belangrijk om een opeenstapeling van onaangename momenten te vermijden.
- Volg de activiteiten die je kind onderneemt. Je kind bepaalt het moment en het tempo. Wanneer jij dat bepaalt en die elementen passen niet binnen de gevoelens van je kind op dat ogenblik, dan zal het moeilijk of niet lukken. Ouders vragen vaak naar het aanbod dat ze hun kind moeten presenteren. Je kind neemt in de meeste gevallen zelf voldoende initiatief. Zaak is om daarop in te spelen. Strekt het kind zijn armen, pak het dan. Geeft het de aanzet tot een kiekeboespelletje, ga er dan op in. Doe dit alles zonder zelf veel verwachtingen te stellen wat betreft de tijdsduur van de interactie, de resultaten die je zult boeken, de aandachtsboog van je kind...
- Zorg voor veel verbale ondersteuning bij alles wat je doet. Het is de periode waarin ouders dierengeluiden gaan combineren met de prent van het dier in het prentenboek, waarin elke beweging wordt verteld, waarin ouders veel gaan spreken in de nabijheid van hun kind in de overtuiging dat het niet begrijpt wat er wordt gezegd, maar het zet het kind wel aan tot praten.
- Laat alle gevoelens toe bij je kind en geniet ervan. Natuurlijk is het prettig wanneer je kind lacht of kraait van pret. Het is dan ook niet moeilijk om die vreugde te ondersteunen en aan te moedigen. Minder gemakkelijk is het om dat ook te doen wanneer je kind met onaangename gevoelens zit. Het is belangrijk om te troosten wanneer je kind bijvoorbeeld huilt van boosheid omdat het erge honger heeft en jij nog wat onhandig te veel tijd nodig hebt om de slab aan te doen. Daardoor zal het leren dat ook deze onaangename gevoelens zijn toegestaan en dat je je kind helpt om ze te overwinnen.

3. Een eerste aanzet tot doelgerichtheid: wederzijdse communicatie

De baby wordt er zich geleidelijk van bewust dat hij beïnvloedingskracht heeft en hij gaat daarmee experimenteren. Daarvoor heeft hij natuurlijk weer de ouder nodig om die kracht in beweging te zetten. Eerst zal dit gebeuren door eenvoudige gebaren die zich een aantal keer zullen herhalen, om daarna weer stil te vallen. Greenspan (2002) spreekt in dit verband van communicatiecirkels: de baby die met zijn ouder een heen-en-weerdialoog voert en zo 'spelletjes' speelt. In het *ABC of love* spreekt Klein (1996) over 'beurt nemen' (zie p. 32). Het kind gaat nu zelf de communicatie aan, neemt eigen standpunten in. Dit is veranderd ten aanzien van de vorige periode, toen het kind nog veel 'meedeed' wat de ouder deed.

Lenemieke (14 maanden) is een ongelooflijke tateraar. Wanneer mama kookt, zet ze haar in de box van waaruit ze mama's kookacties kan bewonderen. Tijdens het schillen van de aardappelen gebeurt er ogenschijnlijk nog niets, omdat het stil blijft. Wie toekijkt, merkt echter dat Lenemieke zich heel erg vooroverbuigt, tussen de spijlen van de box doorkijkt en zachte geluidjes maakt. Wanneer een reactie van mama uitblijft, klinken die geluidjes steeds luider tot mama opkijkt.

'Dag, Lenemieke, kom jij kijken wat mama doet?'
Lenemieke reageert met een geluidje.
'Mama schilt aardappelen, kijk maar.' (toont een aardappel)
Lenemieke reageert met een geluidje.
'Daarna gaan we de aardappelen koken, hè.'
Lenemieke reageert met een geluidje.

Wanneer mama weer aan het werk gaat, reageert Lenemieke boos. Ze laat met geluiden duidelijk merken dat voor haar de communicatie nog niet is afgelopen. Mama zal mee moeten blijven tateren om haar tevreden te houden.

Deze vorm van interactie zien we voor het eerst verschijnen als het kind een half jaar is. De baby heeft zich gehecht aan een aantal vertrouwensfiguren en gaat nu op zoek naar interactiemogelijkheden. In die periode zien we ook motorisch veel veranderen: rollen op de buik, recht drukken, kruipen, rechtop staan, lopen...

Opeens is het huis te klein en merken ouders wat er allemaal in de weg van hun kind staat. Daarom is deze periode in het leven van het kind ook erg belangrijk met betrekking tot het stellen van grenzen. Voor het eerst zal de ouder zijn kind echt moeten verbieden en... erop toekijken dat het verbod wordt opgevolgd.

Steeds luider klinkt de roep in (basis)scholen dat het gedrag van kinderen er in het algemeen sterk op achteruitgaat. Vanuit ons werk durven we stellen dat de reden hiervoor vaak ligt in deze periode. Ouders zijn moe wanneer ze 's avonds na het werk naar huis gaan en daar is het dan nog niet gedaan. Huishoudelijke taken houden jonge gezinnen nog vaak urenlang bezig, waardoor er weinig tijd voor ontspanning overblijft. De verleiding is dan groot om naar de kinderen toegeeflijker te zijn, anders gaan ze zeuren en dat is ook weer zo vermoeiend. Een illustratie hiervan is dat we regelmatig merken dat ouders van andere betrokkenen (grootouders, kinderverzorgsters...) dingen eisen die ze zelf niet waarmaken. Dat gebeurt bijvoorbeeld met het tv-kijken, waarvan ouders vinden dat dit echt beperkt moet worden, terwijl ze het 's zondags weleens als rustgevend moment voor zichzelf zullen inschakelen. Dit alles is op zich niet zo erg. Het kind komt daar echter al gauw achter en zal dat ook tegen de ouders gaan gebruiken. Zo leert het dat grenzen niet altijd even strak zijn. In de opvoeding is het echter ook zo dat de uitzondering de regel bevestigt, waarmee we aangeven dat uitzonderingen best kunnen, maar dat ze geen regel mogen worden.

In het algemeen mogen we dus stellen dat het kind nu volop zijn communicatiemogelijkheden uittest en ermee experimenteert. Het legt een eerste stevige basis voor het ontwikkelen van sociale vaardigheden.

Deze vorm van communicatie zorgt er ook voor dat het kind langzamerhand een verschil gaat ervaren tussen zichzelf en de ander. Het 'ik' en het 'jij' worden zichtbaar. Als ik iets doe naar jou toe, ga jij daarop reageren. Daardoor groeien het zelfbeeld en het zelfbesef nog sterker en leert het kind zich te manifesteren. Vaak verwonderen de ouders zich in deze periode over de vooruitgang van hun kind op vele terreinen. Het is voor veel ouders juist daarom een periode waarin ze heel graag met hun kind bezig zijn.

Ook op emotioneel vlak is het voor kinderen een erg intensieve periode. Gevoelens beginnen zich steeds duidelijker te manifesteren en het kind gaat ze ook tonen. Wanneer het moe is, zeurt het; als iets niet lukt, is het gefrustreerd; wanneer een kiekeboespelletje goed verloopt, schatert het. Belangrijk is dat het kind leert dat het al deze gevoelens mag hebben, mag uitdrukken, zonder dat er daarom steeds tegemoet moet worden gekomen om de frustratie op te heffen.

Terwijl Marco eet, ziet hij opeens op de grond zijn lievelingsleeuwtje. Hij geeft met lichaamstaal duidelijk aan dat hij het wil hebben. Papa raapt het op en zet het voor hem op tafel. Maar dat is voor Marco niet voldoende: hij wil het vasthouden en laat dit ook zien. Hij duwt de lepel weg wanneer het voedsel wordt aangereikt, huilt, trekt een heel boze grimas. Papa is echter kordaat: tijdens het eten wordt er niet met diertjes gespeeld. Wanneer papa de leeuw iets dichterbij zet en vervolgens zegt dat die zal kijken hoe goed Marco wel kan eten, is die gesust en wordt de maaltijd voortgezet.

Niet alleen is dit een voorbeeld van grenzen stellen en aanleren van de cultuur die de ouders in het gezin willen praktiseren, maar ook illustreert het dat Marco gevoelens mag hebben en uiten. Hij mag verlangen naar zijn leeuwtje, hij mag het bij zich willen hebben en gefrustreerd zijn als dat niet kan. Hij mag boos zijn, maar papa zal dat niet weglachen of negeren. Hij wordt getroost door papa's spitsvondigheid. Marco leert zo niet alleen zijn gevoelens kennen en uiten, maar ook dat ze niet noodzakelijk ingewilligd worden. Zo geeft papa Marco de mogelijkheid om te leren wat mag en niet mag, wat de waarden en normen van zijn directe omgeving zijn en dat hij niet verstoten wordt vanwege onaangename gevoelens.

De gevoelens die het kind ontwikkelt, hangen nog niet aan elkaar. Elke situatie wordt apart beleefd. Het kind is het ene moment blij omdat jij iets doet en het kan daarna onmiddellijk overstappen naar boosheid of verdriet omdat de situatie verandert.

Kaat (8 maanden) maakt steeds een scène wanneer ze in bad moet. Het uitkleden is een gevecht van man tegen man. Het vraagt veel energie van haar en van mama. Als ze echter het water voelt, wordt ze rustig. Ze neemt water in haar handjes en laat het eruit lopen, ze heft haar voeten in en uit het water. Bij dit alles kijkt ze heel ernstig, observerend wat er allemaal gebeurt. Wanneer dat te lang begint te duren en het zeuren begint, pakt mama de doos met eendjes en een opwindbare boot. Tijd voor het spelletje waarbij de boot de eendjes omvervaart, hetgeen telkens schaterlachsalvo's oplevert. Als het tijd is om gewassen te worden, verzet Kaat zich weer met man en macht. Dat vindt ze echt niet leuk. Het zien van de grote badhanddoek met de grote kap, laat haar dan weer bijna uit bad springen.

In dit voorbeeld stapelen de gevoelens zich op. Hoewel ze op het eerste oog verbonden zijn in één doorlopend verhaal, ervaart Kaat ze los van elkaar. Maar de ervaringen zijn er al.

Dit voortdurend uitlokken van communicatie zorgt voor nieuwe verbindingen in de hersenen. Het kind is in deze periode zeer actief. De kans dat het de ouder voortdurend opeist, is groot. De ouder mag het kind gerust uitdagen om af en toe alleen bezig te zijn, maar het veelvuldig opbouwen van communicatiecirkels is nu wel noodzakelijk voor zijn ontwikkeling.

Tips
- Het 'leren lezen' van je kind gaat steeds verder, wordt steeds complexer. Waar het in de vorige fasen vooral een kwestie was van weten wat je kind in een positieve gemoedsgesteldheid hield, gaat het nu over het leren lezen van boodschappen die je kind geeft met betrekking tot jouw handelen: wat wil je kind jou laten doen? Wanneer dit niet lukt, gebeurt het weleens dat jullie beiden dit als zeer frustrerend ervaren.
- De grond wordt jullie speelterrein. Niets geeft voor kinderen van deze leeftijd meer ruimte dan de vloer. Een stoel of een box is veel meer beperkend, roept bij sommige kinderen veel frustratie op. Ze leren zich in deze periode door de ruimte bewegen en willen op ontdekkingstocht. Die tocht stimuleren is nu de opdracht van de ouder.
- Zorg dat de communicatiecirkels steeds langer worden. Spelletjes waarbij de ouder iets geeft en het kind het steeds weer weggooit, of waarbij de ouder iets verstopt en het kind het terugvindt, of waarbij de een achter de ander aan zit, vinden de kinderen zeer prettig en herhalen ze eindeloos. Dit thema komt in Deel IV uitgebreid aan bod.
- Geef extra aandacht aan de bewegingen van je kind. In deze periode kunnen kinderen steeds beter doelgerichte bewegingen maken: ze willen een voorwerp pakken, wegstoten, weggooien,

naar zich toe trekken… Je kind is daarin nog niet erg behendig. Het zal leren om dit steeds beter, gerichter te doen. Daarin kan het jouw steun goed gebruiken.

• Laat je kind regelmatig de actie bepalen. In deze periode leert het kind dat het jou kan beïnvloeden, dat het jou dingen kan laten doen. Daarvoor moet het dan wel de kans krijgen. Sommige activiteiten vind jij misschien minder leuk. In deze periode kunnen kinderen het plezierig vinden om oorverdovend te krijsen of hard met voorwerpen op de vloer te slaan. Dat wordt niet steeds gewaardeerd door de ouder. Geef je kind regelmatig de kans, zeker in een spelmoment, om die dingen te doen. Het leert zich daardoor gewaardeerd voelen.

• Leer je kind dat 'nee' ook 'nee' is. Zolang je kind in de vorige perioden volledig afhankelijk was van zijn ouders, was een nee niet nodig. Nu het zelf kan gaan exploreren, moeten duidelijk grenzen worden gesteld. Ondersteun je nee met de nodige lichaamstaal: vinger omhoog, hoofdschuddend, een frons op het voorhoofd, met de juiste toon. Dat is niet steeds gemakkelijk. Soms lokken kinderen immers situaties uit die zo komisch zijn dat je het uit wilt proesten, maar dan komt een nee niet over. Het kind beseft dan niet dat je het meent en zal eerder geneigd zijn om de situatie te herhalen (want jij moest zo lachen…).

4. Doel en interactie: problemen oplossen en zelfbewustzijn ontwikkelen

Alweer een erg intensieve ontwikkelingsstap in het leven van het kind! De baby wordt langzamerhand een peuter en gaat in de interactie zijn bewuste handelingen voortdurend uitbreiden. Dat zorgt voor een steeds complexere vorm van communicatie. Ook de brabbeltaal wordt steeds uitgebreider. Ouders staan er weleens hulpeloos bij wanneer ze niet begrijpen wat hun peuter bedoelt en die uit dan zijn frustratie door boos te worden, te gaan huilen, of door ander moeilijk gedrag.

Zo ontdekt de peuter elke dag nieuwe vormen van sociale-omgangstaal. Hij leert wat bij de een wel kan en bij de ander niet. In het begin is dat moeilijk, maar beetje bij beetje leert hij dat te gebruiken in zijn voordeel. Dit leren begrijpen hoe mensen met elkaar omgaan, wat gezichtsuitdrukkingen, bepaalde stemintonaties en lichaamshoudingen betekenen, is een belangrijke stap in de ontwikkeling van de sociale intelligentie.

Lien (2 jaar) speelt met opa op bed. Het is ondertussen een klassiek spelletje geworden. Eerst neemt ze opa bij de hand en zegt 'Bè, bè', daarmee aanduidend dat ze het bedspelletje wil gaan spelen. Opa doet of hij het niet begrijpt, waarop Lien nadrukkelijker aan zijn hand trekt, met haar armen zwaait in de richting van de slaapkamer en het woord herhaalt. Ze wordt ongeduldig. In de slaapkamer beginnen haar ogen te stralen. De klassieke spelletjes op het kussen worden gespeeld en ze gieren van het lachen. Overmoedig gooit Lien de kussens op de grond. Opa zegt dat dat niet mag. Lien kijkt hem aan met ogen die ze gemaakt op boos zet. Ook dat hoort bij het spelletje. Het is een verleidingstechniek om opa te overtuigen dat toe te laten. Die wil echter dat Lien het kussen opraapt en zegt dit op ernstige toon. Nu weet Lien dat hij het meent. Ze stapt uit bed en begint op het kussen te springen, met uitdagende ogen op opa gericht. Die neemt het kussen af en legt het terug op het bed. Ondertussen maakt hij duidelijk dat voor hem een grens is overschreden en dat hij nu stopt met het bedspelletje. Lien reageert boos door heel hard te gaan huilen. Opa blijft rustig op het bed zitten en herhaalt dat hij zo niet wil spelen. Lien merkt dat ze met haar boosheid opa niet kan overtuigen en dat het spelletje nu wel definitief voorbij is. Ze loopt naar de deur en nodigt opa uit om die open te doen. Die gaat daarop in en hand in hand gaan ze terug naar de woonkamer.

Dit voorbeeld illustreert mooi hoe de vele aparte 'ikjes' (het boze, bevelende, verlangende, gefrustreerde, ontgoochelde, hulpzoekende...) die Lien eerder ontwikkelde, langzamerhand groeien naar één ik: 'Ik wil!' De peuter wordt zelfbewust. Dit helpt hem om doelen uit te zetten en acties te ondernemen om die te bereiken. Opa's hand nemen, 'bè, bè' zeggen, opa begeleiden naar de slaapkamer, de verleidende blik, het zijn allemaal acties die Lien inzet om haar doel te bereiken. Daarbij leert ze dat communicatie een handig hulpmiddel is, hetgeen haar zal aanzetten om dat te perfectioneren. Doelen uitzetten, hoe klein ze ook zijn, en hoe dichtbij in de tijd, veronderstelt een voorstellingsvermogen. De peuter kan al verwachtingen hebben en zijn handelen daarnaar richten. De basis van doelbewustzijn (weten wat je wilt) en doelgerichtheid (handelen om het doel te bereiken) wordt gelegd.

- *'Ik hou van een ijsje, dus ik wil er eentje als ik er ergens een zie en ik zal dat ook duidelijk maken met een scène wanneer ik het ijsje niet meteen krijg.'*
- *'Ik lust geen spruitjes. Als mama weer eens vindt dat ik ze toch moet proeven, dan gooi ik ze nog liever tegen het behang.'*
- *'Mijn beer is een absolute noodzaak om te slapen. Als papa me mijn pyjama aantrekt, vraag ik daarom onmiddellijk naar mijn beer.'*

De ontwikkeling van de peuter gaat echter nog verder. Vroeger ervoer hij zichzelf als element van een situatie, maar nu kan hij er steeds meer beschouwend naar kijken. Hij gaat niet alleen nieuwe dingen ontdekken, maar leert ook wat zijn relatie ertegenover is. Hij gaat mensen imiteren en beschouwt dan wat dat bij hem teweegbrengt. Spelletjes als samen 'boos kijken' of 'bedenkelijk kijken', krijgen steeds meer betekenis. De peuter leert dat zo'n uitdrukking hoort bij een bepaalde situatie. Later zal hij dat ook uitdrukken in vergelijkbare situaties.

Deze nieuwe ontwikkelingsstap kan pas worden gezet omdat in deze fase de peuter steeds meer verbanden gaat leggen tussen mensen, voorwerpen en gebeurtenissen. De elementen uit zijn omgeving worden niet meer beleefd als los van elkaar staand. Daardoor is de wereld beter te begrijpen en wordt ze steeds veiliger, waardoor de peuter de kans krijgt om zijn experimenten uit te breiden. Wanneer hij botst op situaties die negatieve gevoelens oproepen (de weigering van opa om verder te spelen), is het besef van basisveiligheid nog wel erg belangrijk (met opa hand in hand terug naar de woonkamer gaan).

Een ouder doet er goed aan om in deze ontwikkelingsstap zich bewust te blijven van een aantal zaken:

- De peuter begeeft zich in de proeftuin van gevoelens. Gevoelens zijn er en hij kan ze maar beter leren kennen, omdat later juist die gevoelens aanleiding zullen zijn voor zijn handelen. Dat betekent dat er geen beperking staat op gevoelens. Zelfs volwassenen tegenover elkaar hoor je dat soms in moeilijke situaties zeggen ('Je moet daar niet zo boos om zijn', 'Je moet daarover niet zo ontgoocheld zijn'), maar dat is pure onzin. Gevoelens laten zich niet 'moeten'. Ze komen aan de oppervlakte in bepaalde situaties en zeggen hoe jij die situatie ervaart. Daardoor zul je je reactie op die situatie beter kunnen begrijpen. Als een peuter echter al hoort dat bepaalde gevoelens niet mogen, geven we hem niet de kans om te leren hoe zijn relatie is tegenover de dingen die hem overkomen. Dit betekent niet dat we het handelen dat uit bepaalde gevoelens voortvloeit steeds moeten goedkeuren. Integendeel, kinderen op een aanvaardbare wijze leren handelen binnen bepaalde gevoelens is juist een belangrijke opvoedingstaak.
- Door zijn psychomotorische ontwikkeling heeft de peuter steeds meer mogelijkheden om op ontdekkingstocht te gaan. Het is de opdracht van de ouders deze tocht mogelijk te maken. Vanzelfsprekend komt het kind tijdens deze tocht in stormen terecht. Op dat ogenblik moet het terug kunnen vallen op die

beschermende ouders. Het steeds alert blijven om die basisveiligheid te bieden wanneer een experiment fout dreigt te lopen, is daarbij de boodschap.

• De peuter gaat ook steeds meer verbanden leggen. Daarin kunnen de ouders hem zeer goed helpen. Hoe dit mogelijk is, zetten we uiteen wanneer we 'uitbreiden' bespreken (zie ook p. 146 en verder).

Tips

• Zorg voor veel interactie. Hieronder verstaan we samen dingen doen (bijvoorbeeld met blokken bouwen), uitdagen, humor gebruiken, woorden uitwisselen, emoties onderzoeken (bijvoorbeeld door gelaatsuitdrukkingen uit te wisselen), stoeien in de ruimte, geef-en-neemspelletjes, achtervolgingsspelletjes, zoekspelletjes, klimspelletjes, dansen en springen…

• Zorg voor imitatiemogelijkheden. Je kind komt in een fase waarin het je graag na-aapt. Het trekt jouw pantoffels aan en probeert er goed mee te lopen, het beantwoordt de telefoon net zoals jij, het eet zoals jij… Op die wijze word je geconfronteerd met hoe jij zelf met de dingen omgaat. Voor het kind is jouw gedrag echter de grote leerschool van de dagelijkse handelingen.

• Laat je kind voorwerpen 'ontdekken'. Dit mag gaan over wat dan ook: een bloem, speelgoed, een zeef, de schaduw… Het kind gaat hiermee experimenteren en jij kunt dat aanmoedigen. Het is niet de bedoeling je kind te stimuleren tot wetenschappelijk onderzoek – door bijvoorbeeld naar oorzakelijke verbanden te gaan zoeken – maar wel dat je kind in de eerste plaats leert waarvoor voorwerpen dienen. Als je peuter bij zijn beer een (al dan niet aanwezige) schram ziet en hij geeft er een zoentje op om hem te genezen, dan imiteert hij niet alleen het gedrag dat jij stelt wanneer hij een schram oploopt, maar leert hij ook dat een zoentje voor een beer genezend kan werken. Want kijk: na het zoentje is beer weer gezond en wel!

- Leer je peuter over goed en fout gedrag. Het is de eerste fase waarin je kind met normen en waarden gaat experimenteren. Handelingen die jij als ouder stelt, worden door het kind overgenomen en beoordeeld. Wat jij doet, wordt als goed opgeslagen; wat jij afkeurt, is fout. Daarom is het zo belangrijk dat ouders datgene wat ze van hun kinderen vragen, zelf ook doen. Als je 'sssttt' doet met je vinger op de mond omdat het kind stiller moet zijn of rustiger moet worden, dan zal dat alleen begrepen worden wanneer jij ook stil en rustig bent.
- Laat je kind ook maar eens sukkelen! In deze fase gaan peuters experimenteren met allerlei situaties. Dat lukt niet altijd. Je kind kan leren om beter met die mislukking om te gaan. Help het tot waar het zelf verder kan, maar neem de probleemsituatie niet in zijn geheel over.

  Arvid wil oma helpen bij de vaat. Hij neemt het vouwladdertje dat oma in de keuken gebruikt om het naar het aanrecht te brengen. Dat lukt niet en de frustratie groeit. Oma zet het laddertje open. Nu kan hij er zelf mee schuiven tot waar hij het wil hebben.
- Zorg ervoor dat je kind regelmatig contact heeft met leeftijdsgenoten. Dat geeft de mogelijkheid om met communicatiecirkels te experimenteren en om veel in interactie te treden. Zo wordt je kind sociaal en emotioneel vaardiger.

5. Het vormen van een innerlijke wereld: ontdekken van symbolen, ideeën en beelden

Langzaam maar zeker evolueert de peuter van losstaand handelen, opeenvolgend gedrag, waaraan hij zelf niet veel betekenis geeft, naar meer doelgericht handelen. Maar er is meer. In de communicatie-elementen is er steeds meer ruimte voor abstractie.

Een doos wordt een badkuip voor een pop, een paar tellen later is het een bed en de volgende dag is het een vrachtwagentje waarmee ze kan worden vervoerd.

Op een dag kunnen poppen echt slapen in de beleving van het kind en zijn beren echte knuffelaars.

Een gevoel krijgt een invulling via bijvoorbeeld een woord:

- *'Ik ben <u>bang</u>, want papa daagt me uit.'*
- *'Ik ben <u>blij</u>, want mijn lievelingsoom Koen komt op bezoek.'*

Dit betekent dat de peuter niet langer gevoelens en handelingen op zich ervaart, maar dat hij ze in zijn geheugen opslaat op een breder niveau, waardoor hij deze ervaringen later ook weer kan oproepen of er simpelweg over kan praten, ook als ze niet aanwezig zijn.

- *'Als oom Koen komt, zal het leuk zijn.'*
- *'Oom Koen is mijn lievelingsoom.'*
- *'Ik mis oom Koen.' (na een langere periode van elkaar niet gezien te hebben)*

Deze ontwikkeling betekent dat de peuter niet meer afhankelijk is van de reële aanwezigheid van de dingen, maar erover kan gaan nadenken. Dat biedt de mogelijkheid om niet steeds te moeten handelen om iets te krijgen, maar dat hij die ideeën en gevoelens kan uitdrukken zonder de handeling.

Tijdens de vakantieperiode zijn de kinderen vaak hele dagen bij oma. Dan is het voor alle partijen feest en is het in huis een drukte vanjewelste. Oma wordt bijna de hele tijd opgeëist om deel te nemen aan allerlei activiteiten. Soms vragen de kinderen om tv te mogen kijken, of een dvd. Oma is niet zo voor dit soort activiteiten overdag. Anderzijds heeft ze geleerd er gebruik van te maken wanneer ze moet gaan koken, omdat ze dat dan rustig kan doen. Wanneer de kinderen beginnen te zeuren 'filmpje kijken', zegt ze dan ook steeds: 'Straks als ik ga koken.'

Sofie (3 jaar) kent het ondertussen al. Het is pas tien uur, maar ze heeft zin in een filmpje. Ze vraagt aan oma: 'Oma, moet jij nog niet koken?'

Sofie kent het antwoord van oma wanneer ze om tien uur vraagt om naar een filmpje te kijken. Ze gaat al een stapje verder in haar redenering: Ik ga niet vragen om een filmpje, maar ik spoor oma aan om te gaan koken. Dit betekent niet alleen dat Sofie de regels duidelijk kent, maar ook dat ze zich in de positie van oma kan verplaatsen en een doel voor haar kan uitzetten, zodat ze uiteindelijk zelf haar eigen doel bereikt.

Met andere woorden: peuters leren zowel voor zichzelf als voor anderen beelden, ideeën en symbolen ontwikkelen en ermee rekening houden. Daarvoor moet wel aan een aantal voorwaarden worden voldaan. Zo heeft het kind een uitbreiding nodig van de taal. Alles – gebeurtenissen, voorwerpen, mensen en dieren, zelfs gedachten – moet worden benoemd. De naam kennen is echter niet genoeg. Wanneer je het woord Kaboel kent als de hoofdstad in Afghanistan, dan is dat pure kennis. Die kennis heeft echter geen enkele zin op zich, tenzij je het woord nodig hebt in een kruiswoordraadsel of quiz. Voor wie echter het boek *De vliegeraar* van Khaled Hoesseini leest en zich laat meeslepen door het verhaal, dat zich grotendeels in die stad afspeelt, krijgt 'Kaboel' een heel andere betekenis. Er verbinden zich beelden en emoties met dat woord, waardoor het veel sterker in het geheugen wordt vastgezet.

Dit proces ontwikkelt zich in deze fase steeds sterker en dat kan omdat pas nu de hersenen voldoende zijn ontwikkeld. Eerder was dit proces nog onmogelijk. Dat betekent wel dat de peuter de mogelijkheden heeft moeten krijgen om in zijn eerste twee levensjaren heel veel affectieve ervaringen op te doen, zowel aangename als onaangename, die voldoende en sterke verbindingen tussen de hersencellen teweeg hebben gebracht. De eerdere ontwikkelingsstappen hebben, met andere woorden, hun tijd en invulling nodig.

Een andere belangrijke voorwaarde opdat dit kan gebeuren, is dat de peuter er genoegen in vindt om de ander duidelijk te maken wat hij wil. Dat is mogelijk omdat in deze fase in onze hersenen de mogelijkheid om zowel het opslaan van woorden als het geven van beelden aan deze woorden, ze kunnen voorstellen, zich zeer sterk ontwikkelt. Genoegen scheppen in de ander duidelijk maken wat je wilt, lijkt misschien vanzelfsprekend, maar toch is dat niet zo. Wanneer al vanaf de babytijd ouders weinig moeite doen om de communicatie van hun kind te beantwoorden, of wanneer ze zelf weinig inspanningen leveren om te communiceren met hun kind, dan is de kans reëel dat de peuter afleert om de ander zijn wil duidelijk te maken. In dat geval blijft hij veel langer functioneren op handelingsniveau.

In ons werk met kinderen met ernstig probleemgedrag hebben we meermaals vanuit de dossiers kunnen concluderen dat het ook in deze ontwikkelingsstap voor deze kinderen fout liep. Die dossiers gaven regelmatig aan dat het in de eerste levensjaren van die kinderen al erg uit de hand liep wat betreft relatie en communicatie met hun ouders. Het resultaat is dat deze kinderen tijdens hun schooltijd nog steeds in de fase van het pure handelen zitten. Ze zijn niet in staat hun handelingen te overstijgen om ze vanuit een abstracter niveau te beschouwen. De kans is groot dat deze kinderen nog jarenlang impulsief of onbezonnen worden genoemd en dat hun gedrag als zeer problematisch wordt ervaren. De enige weg is ze de tijd gunnen om de noodzakelijke ervaringen uit de eerste ontwikkelingsstappen diepgaand te laten beleven.

Spel is het beste middel om de peuter deze ontwikkelingsstap te laten zetten. Wie het spel van deze kinderen observeert, ziet alle basisthema's (eten, drinken, slapen, wonen, leren...) en alle

basisgevoelens (blij, bang, boos, verdrietig, vriendschap, verstoten worden...) van het leven voorbijkomen. Voor het eerst ontwikkelt zich fantasiespel, in het begin zijn het onsamenhangende
momenten, maar in de volgende ontwikkelingsstap zijn het hele
verhalen.

- *Als Emiel samen met zijn mama 'op vakantie in Frankrijk' speelt,
  gaan ze in twee minuten tijd slapen, opstaan, croissants kopen en
  eten, zwemmen en weer slapen. Dat ritueel herhaalt zich een aantal keren. Het waren duidelijk basisactiviteiten voor Emiel tijdens
  de voorbije vakantie.*
- *Wanneer Annet de poppen samen rond de tafel zet om te eten,
  hebben ze al gauw opmerkingen gekregen dat ze elkaar met rust
  moeten laten, dat ze hun bord helemaal leeg moeten eten, dat
  mama zich boos maakt als je niet flink eet en dat wie wel goed eet
  een pluim krijgt.*

Ook spelletjes met voorwerpen in de ruimte (blokken stapelen,
met blokken een garage bouwen) stimuleren de peuter in de ontwikkeling van zijn voorstellingsvermogen.

Waar de peuter zich voordien bewust was van de situatie waarin hij zich bevond, zal hij nu zelfbewustzijn ontwikkelen: weten
wat binnen zijn eigen mogelijkheden ligt en dat uitlokken. Het
zelfgevoel ontstaat!

Dit zelfgevoel ontwikkelt zich doordat het kind allerlei zaken
kan voorstellen waardoor het voor zichzelf mentaal een veilige,
maar soms ook een angstige wereld kan creëren. Langzamerhand
komt er orde in de wereld. Het kind ontwikkelt een eerste evenwicht in de betekenis die het geeft aan zijn gevoelens en ervaringen. Bij sommige kinderen is dat evenwicht al best stevig, bij
andere nog zeer wankel. Hoe dan ook, deze eerste voorstellin-
gen zullen zich ontwikkelen tot de (beperkte) kaders die mensen
gebruiken om de wereld te beschouwen.

Het belangrijkste element binnen deze ontwikkelingsstap is dat de peuter woorden en handelingen vanuit eerdere ervaringen koppelt aan gevoelens. Een 'auto' kan een blije gedachte oproepen omdat het zijn lievelingsspeelgoed is, of een trieste omdat hij er ooit eentje wegpikte van zijn neefje, mama het had gezien en hem daarvoor een standje gaf.

Doordat de peuter ook steeds beter zichzelf kan voorstellen in verschillende rollen, groeit zijn eigenwaarde. Hij is zich van steeds meer bewust, of kan dingen bewust oproepen. Zo hoeft hij jou niet steeds in zijn omgeving te hebben om zich veilig te voelen; ook op een afstand heeft hij de mogelijkheid om jouw beeld op te roepen en zich op die manier veilig te weten. Wanneer de peuter in de tuin speelt en de toegangsdeur naar de keuken staat open, dan zal hij zich veilig voelen wanneer hij weet dat jij in die keuken aan het koken bent.

Tips

- Speel veel doen-alsofspelletjes met je kind. De peuter speelt vooral graag de 'huiselijke' activiteiten na. Hij kan dan nadoen wat hij zijn ouders zo vaak ziet doen. In dit soort spel leert de peuter ook zelf grenzen aangeven. De rode auto moet stoppen omdat de tractor het eerste aan de beurt is.
- Gebruik veel woorden in de communicatie. Woorden zijn symbolen voor datgene wat je ervaart, wat je wilt uitdrukken... Wanneer ouders hun kinderen geen woorden bezorgen, dan zullen ze er ook geen leren, waardoor de communicatiemogelijkheden die ze op dit ogenblik ontwikkelen niet kunnen aanboren. Kinderen hoeven nog niet alles te begrijpen. Ze proeven de woorden van de ouder en leggen verbanden tussen het woord en de actie die op dat moment gaande is. Benoem wat je ziet aan emoties bij je kind, zodat het ook de woorden op dit abstract niveau leert kennen en gebruiken.

'Ik zie dat je kwaad bent. Je ogen schieten vlammen!'
'Jij bent duidelijk geboeid door dit boekje! Je hoort me helemaal niet als ik iets tegen je zeg.'

- Als een kind zelf weinig prikkels tot communicatie aanbiedt, plaatst het een valkuil voor zijn ouders: ouders hebben immers de neiging om tegen weinig pratende kinderen zelf ook weinig te zeggen. Zo komt dit kind, dat juist extra stimuli nodig heeft, helemaal in 'woordennood' te zitten.

- Stimuleer je kind in zijn fantasie, echter zonder dat het zich in die fantasie verliest. Door emoties in verbeelding om te zetten en ermee te experimenteren, zal het kind beelden ontwikkelen die het later kan gebruiken wanneer het in de problemen komt. Volwassenen die bijvoorbeeld in stressmomenten beelden van rustige situaties kunnen oproepen, helpen zichzelf hiermee. Wat in deze ontwikkelingsfase gebeurt, kan voor de rest van het leven belangrijk zijn.

  Joop was de hele ochtend al zeer opgewonden. Mama wilde hem tot rust brengen. Ze stelde voor om samen lekker op het zachte strand te ontspannen in de zon. Joop kende dit beeld van de vakantie met zijn ouders. Terwijl ze met z'n tweeën op het tapijt lagen, bracht mama nog meer beelden in herinnering. Ze sprak over de zon die onderging, over de boten die voorbijvoeren, over de wind die door de haren blies. Algauw begon Joop ook herinneringen op te halen en ging hij er nog bij fantaseren. Mama liet hem begaan; ondertussen lag hij immers rustig op het tapijt...

- Kies bewust momenten waarop je met je peuter wilt spelen. Zorg ervoor dat je tijdens deze momenten het nodige materiaal beschikbaar hebt dat je peuter stimuleert om ermee aan de slag te gaan. Je kunt hierbij evengoed het 'echte' keukenmateriaal nemen als namaak of speelgoed.

- Zorg dagelijks voor korte gesprekjes met je peuter. Het gaat hier niet om ondervragingen (iets wat sommige ouders vlug doen).

Het is een gesprek over koetjes en kalfjes 'tussen groten', waarbij je peuter leert stoeien met woorden.

- Schoolse vaardigheden en werkblaadjes zijn op dit ogenblik nog niet aan je kind besteed. Indien je kind toch interesse toont voor letters of getallen, kun je daarop ingaan. Weet echter dat het soms meer kwaad dan goed doet voor de latere motivatie wanneer je als ouder al te ijverig op die interesse van je kind springt. Het wil experimenteren, nog niet leren.
- Zorg regelmatig voor speelkameraadjes. Langzamerhand krijgt je kind hieraan steeds meer behoefte.

6. Emotioneel denken: bruggen bouwen tussen ideeën

Je kind is nu drie jaar of ouder en binnengestapt in de wereld van de kleuter. In de vorige ontwikkelingsstappen leerde het kind geleidelijk dingen op een afstand te beschouwen, zichzelf als individu te ervaren. In deze stap gaan ervaringen, emoties, gedachten en gebeurtenissen zich steeds meer met elkaar verbinden. Dat zorgt ervoor dat de kleuter de wereld langzamerhand in verband gaat leren zien. Dat is van zeer groot belang. Kinderen die dit niet leren, zien de wereld nog lang als een onsamenhangende reeks van losse factoren. Die wereld wordt dan ook onbehandelbaar, niet te manipuleren, het kind krijgt er geen vat op. Bij kinderen met mentale beperkingen is deze manier van naar de wereld kijken vaak aanwezig.

Jef weet dat zijn auto's niet kunnen rijden omdat ze geen motor hebben. Hij beseft dat zijn grote broer nu niet kan meespelen omdat hij eerst zijn huiswerk moet maken.

De ouders vervullen ook hier weer een belangrijke ontwikkelingstaak: ze zullen met het kind de vele elementen van de wereld verbinden. Niet alleen het verbinden op zich is daarbij belangrijk voor het kind, maar ook 'de goesting' om die verbanden te zien, om de wereld te willen begrijpen.

Doordat het kind in staat is verschillende ervaringen met elkaar in verband te brengen, krijgt het vat op tijd en ruimte. Er ontstaat een onderscheid tussen enerzijds verleden, heden en toekomst en anderzijds tussen hier en ergens anders. Niet alleen gaat de kleuter daardoor beter begrijpen wat er zich hier en nu afspeelt, maar langzamerhand ontstaat ook het vermogen om de consequenties van het handelen in het hier en nu te zien in de toekomst. De basis wordt gelegd voor het controleren van impulsen, om stopgedrag of zelfregulering te ontwikkelen. Deze vaardigheden geven het kind later de kans om de gewenste schoolse leerhouding aan te nemen. Het heeft zichzelf steeds meer onder controle.

Ook het stellen van doelen en de handelingen verrichten om ze te bereiken, ontwikkelt zich steeds beter. De tijdspanne die de kleuter nodig heeft om zijn doel te bereiken, mag steeds langer worden, hij zal het doel niet uit het oog verliezen. Daardoor krijgt hij ook steeds beter vat op de wereld.

Waar de kleuter voorheen vooral interesse had in het 'wat', wil hij nu kunnen begrijpen. De waaromvraag drijft menig ouder tot wanhoop. Het lijkt wel gezeur, maar het is integendeel een hardnekkig willen weten hoe de vork aan de steel zit. Hij wil ervaringen kunnen koppelen aan emoties en moet zich daarom een goed beeld kunnen vormen van wat er gebeurt en zal gebeuren. De kleuter beseft dat zijn vriend blij is als hij met hem speelt, dat gemis tot verdriet leidt.

Toen ze kinderen kregen, hebben mama en papa geopteerd voor een jaarlijkse week ertussenuit zonder kinderen. De kinderen worden dan heel goed opgevangen bij hun grootouders. Nu hebben ze het voor het eerst voor hun vertrek moeilijk. Hun oudste spruit, inmiddels in zijn vierde levensjaar, zegt meerdere keren per dag: 'Ik zal je missen mama!' en 'Ik zal huilen in mijn bedje.' Mama

weet niet of het nog zo prettig zal zijn tijdens die week zonder kin-
deren...

De kleuter zal steeds beter onderscheid maken tussen verbeelding en realiteit. Hoewel die verbeelding juist in deze periode op
volle kracht werkt en de verhalen zich steeds complexer ontwikkelen, kan hij er gemakkelijker uitstappen, er afstand van nemen.

- *Het kleutermeisje zal in haar fantasiewereld de goede fee zijn en*
  haar poppen op allerlei manieren verwennen, maar steeds goed
  blijven beseffen dat het een spel is.
- *De kleuterjongen verlost als Zorro alle goeden van de slechten,*
  maar kan onmiddellijk het spel achter zich laten wanneer dat
  nodig is.

De kleuter leert de consequenties kennen van een bepaalde
gebeurtenis, maar ook dat dezelfde gebeurtenis niet steeds
dezelfde gevolgen heeft. Dit onderscheid kan van vele factoren
afhangen, niet alleen vanwege verschillende personen, maar ook
omdat dezelfde persoon vanuit een verschillende gemoedsgesteldheid of in een verschillende situatie reageert.

Een kleuter weet perfect dat hij na school geen limonade krijgt van
mama. Mama heeft hem al vaak uitgelegd waarom. Toch heeft hij
ook al lang door dat als oma komt na school, dit van mama wel
mag, omdat oma zelf ook limonade drinkt.

Zo ontwikkelt de kleuter het vermogen om gebeurtenissen breder te bekijken dan de feiten op zich. Hij leert met verschillende
criteria rekening te houden. Wanneer hij een doel voorstelt ('Krijg
ik limonade?'), kan hij al veel beter dan voorheen inschatten wat
het antwoord zal zijn omdat hij in zijn redenering rekening kan
houden met verschillende factoren ('Het is wel na schooltijd,

maar oma is er'). Dit steeds gedetailleerder kunnen voorstellen van een situatie maakt de wereld voor het kind tot een manipuleerbaar instrument. Het is dan wel zaak dat het kind opgroeit in een wereld die flexibel denken toelaat, zonder dat er daarom van de volwassene uit steeds aan moet worden toegegeven.

Het is de leeftijd waarop de ouder kan genieten van de gesprekken die het kind ogenschijnlijk met zichzelf voert. De kleuter heeft de ander niet meer in zijn aanwezigheid nodig om er gesprekken mee te voeren. Wanneer oom Freek telefoneert, kan er een gesprekje volgen, iets wat voorheen niet kon, omdat het kind de aanwezigheid van oom Freek miste. Het kind heeft ook hele gesprekken met zichzelf en steeds meer hoort de ouder hoe het kind zichzelf regels oplegt, zichzelf dingen verbiedt, zichzelf aanspoort om iets te doen.

Doordat de wereld steeds beter voorspelbaar wordt, wordt het kind ook niet meer zo in de storm van gevoelens meegesleurd. Ook het emotioneel beleven van de wereld verloopt rustiger. De ouders krijgen minder werk met het helpen reguleren van gevoelens. Dit betekent echter niet dat de kleuter ze niet meer nodig heeft. De wereld leren begrijpen en de verschillende ervaringselementen met elkaar verbinden, is een taak die de kleuter niet alleen aankan. Zeker de waaromvragen moet je ernstig nemen en beantwoorden.

In het spel blijft het belangrijk dat de ouder participeert in de activiteit van het kind. Het is niet de bedoeling dat ouders zelf hele fantasieverhalen uitwerken met hun kinderen, want die begrijpen ze niet. Tegelijkertijd wordt hun tijd om te fantaseren door de ouder ingevuld, waardoor het kind niet datgene kan ontwikkelen wat voor hem zo belangrijk is.

In deze ontwikkelingsstap is het van belang dat de 'flarden van verhalen' die het kind tot dan toe ontwikkelt, uitgroeien tot zinvolle gehelen. Het is de periode waarin het sprookje tot volle wasdom komt omdat de gruwelijke gebeurtenissen die sprookjes zijn, steeds goed aflopen. Een sprookje kan niet opgesplitst worden in verschillende delen, want dan verworden ze tot een opeenvolging van gewelddadige feiten waarbij meisjes worden vergiftigd, als huishoudelijke slaafjes worden gebruikt, wolvenbuiken met stenen worden gevuld en meer van dat onmenselijks. Alleen als op het einde het goede zegeviert, is het verhaal voor kinderen geschikt.

Zo groeien ook geleidelijk de verhalen van de kleuter tot volwaardige plots waarin alle elementen van een goed verhaal aan bod komen. Echter, hij alleen kan dit invullen. Wanneer een ouder de fantasie van haar kleuter afpikt, ontneemt ze tegelijkertijd de mogelijkheid om bruggen te bouwen tussen zijn vele beelden en de daaraan gekoppelde emoties. Daarom is het de taak van de ouder om de gepaste vragen te stellen, om te suggereren dat het verhaal nog geen einde heeft.

De belangrijkste redenen waarom deze stap soms moeilijk ontwikkeld wordt, zijn enerzijds een gebrekkige ontwikkeling van de hersenen en anderzijds een gebrek aan erkenning van de kleuter door zijn ouders.

In het eerste geval gaat het om de ontwikkeling die we eerder beschreven in Deel I. In het tweede geval gaat het over ouders die weinig moeite doen om hun kinderen te erkennen. Erkennen is wat anders dan herkennen. Bij herkennen maak je een ervaring van de ander tot de jouwe. Je herkent ze als iets dat je ooit ook heb ervaren. Erkennen laat de ervaring bij het kind. Als je het kind erkent, ga je op zoek naar wat het kind zelf bedoelt.

Martine heeft al heel lang een trampoline. Ze heeft er de voorbije maanden met veel plezier heel veel op gesprongen. Op school staat ook een trampoline. Daar zag Martine dat een meisje tijdens het springen werd geduwd, op de ijzeren rand terechtkwam en zich erg bezeerde.

De familie is samen en neefjes en nichtjes springen in de tuin op de trampoline. Martine staat erbij en kijkt ernaar. Ze is bang om mee te doen vanuit haar ervaring op school. Mama en papa zien haar staan, lopen naar haar toe en vragen waarom ze niet met de anderen meedoet aan het spel. Martine zegt: 'Ik ben bang.' De kans dat papa en mama on-erkennend reageren, is erg groot. Hun reacties ('Waarom ben je bang? Wat is dat nu? Je springt er altijd zoveel op', 'Doe nu niet flauw. Anders ben je zo'n heldin!', 'Dat vinden de anderen niet fijn als jij niet mee wilt doen') zullen er eerder voor zorgen dat Martine nog verder in haar schulp kruipt. Als ze zich toch laat verleiden om mee te springen, zal ze er geen plezier aan hebben.

Dit voorbeeld laat zien hoe Martine gefnuikt wordt in haar ware gevoelens: ze is bang. Wanneer dit vaak gebeurt, wordt de kleuter de kans ontnomen klaar te komen met wat er in hem echt gaande is. Hij zal in zichzelf een door de grotemensenwereld 'gewenste' wereld ontwikkelen die niet steunt op emotionele ervaringen, maar op denken over wat anderen van hem verwachten. Het denken en voelen raken op die manier uit evenwicht.

Samengevat groeit de kleuter in deze ontwikkelingsstap sterk naar dat jonge kind dat steeds bewuster wordt van zichzelf. Hij is voortdurend op zoek naar de grenzen van zijn emoties, kennis en vaardigheden. Ook de agressie die vaak genoemd wordt als kenmerk voor deze leeftijd, hoort in dit ontwikkelingsproces thuis. We zouden kunnen stellen dat agressie een gezonde reactie is, een deel naar de zoektocht van zijn eigen mogelijkheden. Het is niet aan de kleuter om hier de limieten te stellen, maar aan de ouders des te meer. Ook later zal het stoeien met papa, opa of oudere broer of zus, vanuit deze betekenis kunnen worden verklaard.

Tips

- Tracht met je kind lange en diepgaande gesprekken te voeren op zijn niveau. Zorg ervoor dat je voorwerpen en gebeurtenissen met elkaar vergelijkt. Discussieer over de verschillende criteria die je voor het vergelijken kunt gebruiken.

  Papa en zijn vriend staan voor de etalage van een garage en vergelijken de nieuwste modellen. Mama staat erbij met hun vier-jarige kleuter Pieter. Ook zij kijken naar de auto's.

  Mama: 'Welke auto vind jij de mooiste?'

  Pieter: 'De rode.'

  Mama: 'Oh, dat is een kleintje, ik wil liever de groene. Waarom wil jij de rode?'

  Pieter: 'Ik zie rood het liefst.'

  Mama: 'Dat is waar. Dat moest ik eigenlijk weten, want jij kiest voor alles rood. Weet je waarom ik die groene wil?'

  Pieter schudt zijn hoofd.

  Mama: 'Daar kunnen wij met z'n allen in wanneer we op reis gaan. Dan kan Keffie (de hond) ook mee.'

  Pieter: 'Maar dan wil ik ook de groene.'

  Mama: 'Misschien heeft de garage die groene ook wel in een rode kleur.'

  Zo gaat het gesprek nog een tijdje door...

- Leg verbanden tussen de verschillende elementen binnen wat er gebeurt in de omgeving van je kind. De wijze waarop je dit kunt doen, beschrijven we uitvoerig in het thema 'uitbreiden' (zie p. 146). Hier al een tip: stel veel wie-, wat-, wanneer-, hoe- en waar-omvragen.

- Laat je kind nadenken over zijn eigen wensen en vragen. Als het een koek vraagt, of vraagt om naar buiten te mogen, laat dan niet na te vragen waarom. Zo gaat je kind nadenken over zijn eigen vragen en bouwt het meer kennis op over zijn eigen verlangens en gewoonten.

- Doe met je kind spelletjes waarbij stopgedrag (of impulsiviteit afremmen) en regels noodzakelijk zijn. Op die wijze leert je kind zichzelf onder controle te krijgen, wat later, in echte 'leer'situaties, veel voordeel zal opleveren.

  Grote zus speelt met haar broer van twee jaar een leuk spelletje. Ze stappen samen door de woonkamer. De ene keer doen ze dat met grote stappen als reuzen, dan met superkleine stapjes, dan op de tenen enzovoort. Het leukste is als zus heel luid 'Boe!' roept. Dan moeten ze allebei onmiddellijk stil blijven staan. Dat is voor haar jongere broertje erg moeilijk. Maar ze hebben ontzettend veel plezier!

- Confronteer je kleuter al eens met een 'wat zou er gebeuren als?'-probleem. Zo leert je kind veronderstellingen maken, logisch te redeneren en zoeken naar meerdere antwoorden op één vraag.

- Help je kleuter in zijn zoektocht naar het zo precies mogelijk verwoorden van zijn gevoelens. Bied de woorden aan die nodig zijn (bijvoorbeeld prettig, bang, boos, verdrietig, ontgoocheld...) of bevraag hem naar wat hij precies voelt wanneer hij zegt dat hij blij is.

- Leer compromissen sluiten met je kleuter.

  's Morgens vlak voor het naar school gaan: 'Het is nu te laat om die puzzel nog te maken. Je mag hem al wel klaar leggen op tafel en hem na school onmiddellijk maken.'

- Zorg ervoor dat op momenten dat aantal, tijd, ruimte, kleur, vorm... vanuit een concrete context ter sprake kunnen komen, dat dit dan ook gebeurt.

- Laat je kind regelmatig spelen met andere kinderen. Voor kleuters die naar school gaan, is dit geen probleem. Maar ook de thuisblijver heeft de confrontatie met leeftijdsgenoten hard nodig.

Samenvatting

- Kinderen ontwikkelen zich niet zomaar. Ze doen dit in interactie met hun ouders en andere opvoeders. Daardoor ligt er bij hen een grote verantwoordelijkheid. Zij kunnen ervoor zorgen dat hun kind de behoefte ontwikkelt om zijn mogelijkheden te ontplooien.
- Daarvoor moet er bij de ouders en andere opvoeders wel een absolute voorwaarde vervuld zijn: ze moeten geloven in de ontwikkelingsmogelijkheden van hun kind.
- De hersenen spelen een belangrijke rol in die ontwikkeling. De interactie tussen het kind en zijn omgeving zorgt voor het verbinden van de hersencellen tot hersenstructuren. Dit gebeurt vooral door eenvoudige handelingen van 'graag zien' die de ouders stellen naar het kind. Belangrijk daarbij is dat die handelingen in wederkerigheid plaatsvinden. Ook het kind zal de interactie bewust ervaren.
- De opvoeding speelt zich af in een heel brede sociaal-culturele context. Cultuur kan ingebed zijn in grote bevolkingsgroepen. Binnen die grote cultuurgroep beleeft ieder mens nog eens de dingen op een heel individuele wijze en reageert er ook vanuit zichzelf op. Zo is voor elk kind elke mens uniek. Dit geeft het kind de mogelijkheid om sociale vaardigheden te verwerven.
- Als de ouders kennis hebben van ontwikkeling in het algemeen, is dat een pluspunt. Zij zullen dan effectievere interactie kunnen voeren met hun kind. Vooral kennis van de emotionele ontwikkeling van baby tot kleuter kan ouders helpen, niet alleen om de communicatie met het kind beter aan te kunnen gaan, maar ook om zelf meer vreugde te beleven bij het zien van die geweldige ontwikkeling van hun kind.

Deel ii ••
Communiceren met
je kind

Inleiding

Je kunt niet niet communiceren!

In veel opleidingen tot communicatie- en/of relatietherapeut is dat een van de eerste dingen die je als cursist op het hart worden gedrukt. Ook negeren, en zelfs weglopen, is communiceren. In Deel I beschreven we het belang van interactie voor de ontwikkeling van je kind. Communiceren is een belangrijke vorm van interactie. Hoe meer de ouders communicatiedeskundigen voor hun kind worden, hoe beter dat is voor het kind. Dat merk je bij jonge kinderen die net hun eerste woordjes zeggen, of bij ouders van kinderen met een spraakstoornis of een handicap die ook moeilijke taalontwikkeling als kenmerk heeft. De buitenstaander verstaat niets van wat het kind zegt, maar ouders kunnen perfect vertellen wat die onsamenhangende klanken betekenen.

Communiceren is dus belangrijk. Daarom gaan we er hier dieper op in. Wat zijn algemene beginselen van een goede, kwaliteitsvolle communicatie? Wat zijn de communicatiesignalen die het jonge kind opvangt en hoe interpreteert het die? En natuurlijk ook: hoe zorgen we ervoor dat communiceren in wederkerigheid gebeurt?

1. Ook communicatie kent een ontwikkeling

Communiceren met de allerkleinsten

Kinderen leren over menselijke relaties vanaf de eerste dag na hun geboorte. Ze zijn nog geen zes maanden oud of ze weten al hoe ze mama tot interactie kunnen verleiden, soms kunnen dwingen. De grote interactievormen – vragen en antwoorden, afwijzen en negeren – zijn in de praktijk van de baby reeds aanwezig. De meeste basissignalen die mensen uitwisselen via het gezicht, het lichaam, de handen en de stem, heeft hij al ontdekt. Hij krijgt zeer vlug het volgen en leiden van de interactiedans onder de knie. Als dan ook nog zijn ouders interesse hebben in zijn initiatieven (= wederkerigheid!), zijn de eerste stenen gelegd om de ouder-kindrelatie tot iets moois uit te bouwen.

Deze eerste communicatie vormt de basis van wat ooit zal uitgroeien tot de sociale vaardigheden van het kind. Het gaat over die kleine, korte momenten, vaak niet bewust ingezet, waardoor ouders en kind tot interactie komen. Deze communicatie op zich is al een soort van spel voor de baby. Hoe beter hij de communicatie met de mensen in zijn omgeving leert kennen, des te beter hij in de tweede ontwikkelingsstap van Greenspan (2002) zal komen tot een gezonde hechting (zie p. 58 en verder).

Het eerste wat de baby aan communicatie krijgt als ervaring, is wat de ouders geven aan lichaamstaal. Het gehele lichaam straalt immers signalen uit. De snelheid, hevigheid waarmee armen worden bewogen, de spieren die het gezicht vertrekken, de stemhoogte en spreeksnelheid waarmee wordt gesproken enzovoort, geven aan hoe rustig of opgewonden, boos of vriendelijk de ouder is. Die signalen heeft de baby zeer vlug door en hij past onmiddellijk zijn eigen gedrag aan aan die signalen. Ook hier is wederkerigheid weer van groot belang. Als de ouder opgewonden lijkt, gaat de baby zich onzeker voelen. Die onzekerheid zorgt er meer dan waarschijnlijk voor dat hij op zijn beurt opgewonden wordt, hetgeen zich zal uiten in gedrag. De reactie van de ouder hierop bepaalt of de baby een patroon ontwikkelt waarbij hij zijn opgewondenheid zal uiten, of het omgekeerde.

Het is boeiend om vast te stellen dat moeders vanaf de geboorte met hun eigen kinderen anders communiceren dan met andermans kinderen of met volwassenen. Maar ook andere opvoeders communiceren anders met kinderen dan met volwassenen. Dit lijkt vanzelfsprekend en is lange tijd ook als zodanig aangenomen, waardoor het lang duurde vooraleer deze communicatie is onderzocht. Het onderzoeksthema betreft hier niet de babytaal die volwassenen gebruiken, maar wel het geheel aan handelingen die ouders stellen naar de baby toe.

Oefening: observeer jezelf

Observeer je eigen handelen ten aanzien van zeer jonge kinderen, indien mogelijk bij je eigen kind. Wanneer je niet direct zelf te maken hebt met jonge kinderen, observeer dan hoe andere mensen met hen communiceren. Je observeert daarbij:

- Welke gezichten 'trek' je (of trekt die ander)?
- Hoe snel spreek je tot je kind?
- Welke woorden gebruik je?
- Welke toonhoogte gebruik je?
- Hoe beweeg je je lichaam naar het kind toe?
- Wat doe je met je armen, handen en vingers?
- Met welk ritme en welke snelheid maak je deze bewegingen?

Wat merk je op bij deze observatie?

Het loont echt de moeite om de tijd te nemen om bij dit soort vragen stil te staan. In het voorbeeld op p. 38 beschreven we hoe een van ons zijn basstem veranderde naar een tenorstem wanneer hij tot baby's sprak. Tijdens het schrijven van dit boek werd zijn volgende kleinkind geboren. Hij paste zijn stemgebruik dus weer aan. Zijn tenorstem deed het echter niet. Hij heeft toen op een moment dat zijn kleinzoon gestrest was even geëxperimenteerd en gemerkt dat het kind rustig werd wanneer hij met een heel diepe, zachte basstem sprak. Achteraf, in nieuwe situaties, bleek deze stem voor deze baby de beste te zijn om hem tot rust te brengen. Ook hier ging het weer om wederkerigheid!

Dit voorbeeld toont aan dat ouders zich aanpassen aan de baby en omgekeerd. Dat is ook de sleutel van goede communicatie. Bij het allerjongste kind is het interessant om een paar communicatieaspecten na te gaan. Een van deze aspecten vinden we bij Stern (1977) en ze hebben allemaal te maken met het gezicht:

- **De verraste blik:** de ouder opent de mond, trekt de wenkbrauwen omhoog, heeft een enthousiaste uitstraling en produceert 'oooh's' en 'aaah's'. Dit moedigt de baby aan. Meestal is dit een gebeuren dat in tijd langer duurt dan wanneer we in een andere situatie enthousiast zijn. De baby krijgt als het ware de tijd om de communicatie op te vangen en er een reactie op te formuleren. De ouder geeft aan dat ze klaar is voor communicatie of dat ze de uitnodigingssignalen van de baby heeft ontvangen. Dezelfde tekenen van het gezicht kunnen ook als spottend worden waargenomen, zo van: 'O, ja!?'.
- **De frons of bezorgde blik:** de ogen versmallen, doordat de wenkbrauwen omlaag worden gebracht. Het hoofd gaat schuin en wat omlaag, de neusgaten verbreden. Vaak gaat een en ander samen met een vragend 'oooaaah?'. Ouders gebruiken de frons om aan te geven dat ze datgene wat er gebeurt niet willen, of dat ze er op zijn minst vragen bij hebben.
- **De medelijdende blik:** deze blik is qua gezichtsuitdrukking een combinatie van de twee voorgaande. De boodschap heeft de betekenis van 'O, jij arm schaap!' en wordt gebruikt wanneer iets voor het kind niet lukt.
- **De glimlachende blik:** dit is de gezichtsuitdrukking waarbij iedereen zich iets kan voorstellen en die we al besproken hebben in het *ABC of love*. Ze drukt een tevredenheid en goedkeuring uit, waardoor het kind wordt aangemoedigd om verder te gaan.
- **De negerende blik:** de ouder tracht zijn gezicht zo neutraal mogelijk te houden. De expressieloze uitdrukking geeft aan het kind het signaal dat de ouder niet klaar is voor de interactie, dat

het initiatief van het kind niet is aangekomen of dat de ouder de interactie niet wil vervolgen.

Deze vijf gezichtsuitdrukkingen vormen de basis van onze gezichtscommunicatie. Ze vormen de signalen die kinderen vlug gaan begrijpen. Het lijkt misschien vreemd dat de 'boze blik' hier niet vermeld staat, maar het betreft hier de belangrijkste gezichts-uitdrukkingen naar de jongste kinderen. Op hen zijn ouders niet zo gauw boos. De boze blik kan daarom eerder als een uitzonde-ring worden beschouwd.

Wanneer we kijken naar korte videofragmenten waarbij een ouder de baby verschoont, voedt of een bad geeft, merken we dat de ouder de verschillende gezichtsuitdrukkingen snel door elkaar heen gebruikt. Elke communicatie wordt door mimiek ondersteund, waardoor de baby heel vlug deze basiscommunica-tie leert begrijpen.

Communicatie gebeurt niet zomaar. Er zijn doelen aan gekop-peld. De belangrijkste zijn:

- De ouder geeft de baby het signaal dat zijn uitnodiging tot com-municatie is aangekomen, of nodigt de baby zelf uit tot het opbou-wen van een communicatiemoment.
- De ouder geeft het kind aan dat de lopende interactie goed ver-loopt (glimlachende blik) of in kwaliteit vermindert (de frons of bezorgde blik).
- Het beëindigen van de interactie. Hiervoor gebruikt de ouder meestal de frons of bezorgde blik.
- Het vermijden van de interactie. Dat gebeurt het gemakkelijkste met de negerende blik.

Een ander belangrijk aspect van de communicatiemiddelen die we inzetten bij kinderen is het stemgebruik. Niet alleen wat wordt gezegd hoort daarbij, maar ook hoe die stem wordt gebruikt. Het is dus belangrijk dat ouders leren waarnemen welk stemgebruik de grootste wederkerigheid bij het kind veroorzaakt en dat ze dan ook dat bepaalde stemgebruik inzetten. De toegankelijkheid van toonhoogte, spreeksnelheid en geluidssterkte is voor elk kind immers verschillend.

We horen allemaal op een verschillende manier. De nuances liggen bij de meeste mensen in dezelfde richting. Er zijn echter mensen die overgevoelig of ondergevoelig zijn wat betreft gehoor. Dit kenmerk van onder- of overgevoeligheid is echter typerend voor elk zintuig. Daarom is het goed om als ouder te observeren hoe prikkels bij het jonge kind binnenkomen. Hoe reageert het kind erop? Reageert het kind er hoegenaamd op?

Baby's gaan zich al heel vlug richten op geluid. Dat richten is een eerste aanzet tot luisteren, wat iets anders is dan horen. Luisteren gebeurt gericht, het is een gewilde actie. Baby's leren ook heel vlug de stem van intimi herkennen. Wanneer ouders er alert op zijn, zullen ze merken dat de baby geluiden teruggeeft, of zelf communicatie wil opzetten door geluiden te produceren. Het betreft hier met name het oefenen van de stem en van de spieren die zorgen dat geluid kan worden voortgebracht. Zo treden kinderen aan het einde van de babyperiode al in communicatie met hun ouders en nemen ze deel aan pingponggesprekken (zie ook 'beurt nemen' uit het *ABC of love*, p. 32).

Peuters en het belang van symbolen

In feite is dat een wonderlijk besef dat zich ontwikkelt. De peuter leert taal gebruiken als symbool voor mensen of dingen. Woorden worden nu bewust ingezet en woorden kunnen een verschillende betekenis hebben.

Toen mama thuiskwam van het winkelen en haar anderhalf jaar oude dochtertje het mooie jurkje toonde dat ze voor haar had meegebracht, stootte het kind een geweldig 'Wauw!' uit.

Op deze wijze gaf het meisje uitdrukking aan haar bewondering voor de jurk. Peuters kennen al verschillende woorden om iets uit te drukken. 'Boem', 'hopla' en dergelijke zijn meestal de uitdrukkingen die ouders ook gebruiken in bepaalde situaties. De peuter neemt dit in vergelijkbare situaties over.

Wanneer de peuter woorden zegt als 'kijk' en 'hoort', dan nodigt hij zijn ouder uit tot actie. Wanneer die daarop gunstig reageert, leert de peuter dat mensen kunnen worden beïnvloed, dat hij mensen kan richten op dingen die hij wil delen.

Ook andere woorden komen steeds meer voor in het woordgebruik van de peuter. 'Pop', 'auto' en 'bumba' verwijzen naar elementen uit de wereld van de peuter. Hij geeft met deze woorden aan waarmee hij op dat moment bezig is. Er zit nog geen samenhang in. De woorden worden eerder geoefend dan doelgericht gebruikt.

Kleuters en hun advocaatallures

Tijdens de kleuterperiode ontwikkelt het echte spreken zich met rasse schreden. Niet alleen de woordenschat wordt sterk uitgebreid, maar ook de zinsbouw en de relaties die al sprekend gelegd worden, zorgen voor boeiende gesprekken. De kleuter wil alles weten, combineert de gekste dingen en laat zijn fantasie op hol slaan.

Kleuters leggen de meest onverwachte verbanden, die vanuit hun kinderlogica vaak nog juist zijn ook. Zo leren ze steeds beter om werkelijkheid en fantasie van elkaar te onderscheiden en dat gaat gepaard met een steeds bredere ontwikkeling van de taal.

Tijdens het thema 'beroepen' vroeg de kleuterjuf aan de kinderen wat hun ouders deden als beroep. De zoon van een schooldirecteur moest diep nadenken en antwoordde uiteindelijk: 'Die deelt in scholen Doremi *en* Zonnekindjes *uit' (tijdschriften voor kinderen die in Vlaamse scholen worden verspreid). Dat was wat de kleuter de directeur van zijn school elke week zag doen en hij besloot dan maar dat zijn papa dezelfde job uitoefende.*

Maar ook andere communicatiemiddelen, zoals lichaamstaal, mimiek en stemgebruik, ontwikkelen zich sterk in deze periode. Wanneer je kleuters in hun spontane spel allerlei rolpatronen ziet invullen, kun je je afvragen waar volwassenen die spontaneïteit en die veelheid aan communicatie-expressie onderweg zijn verloren.

Tips voor communicatie met jonge kinderen

- Spreek met je kind tijdens alle activiteiten die je met hem doet. Vertel wat je doet en waarom, vertel wat je kind doet. Zorg voor heel veel rustige gesprekken, ook al blijven ze aanvankelijk zonder antwoord. Het antwoord dat je kind geeft, is zich richten naar jou en leren luisteren naar de klanken die jij produceert.
- Spreek rustig met je kind en richt je op de momenten waarop het wederkerigheid geeft. Deze momenten zoek je op en breid je uit.
- Reageer op het brabbelen van je baby en beginnende peuter. Je mag ook gerust brabbelen, maar evengoed kun je vanuit de klanken die hij produceert woorden teruggeven die dezelfde klanken hebben.

  Marieke kruipt rond, brabbelt allerlei klanken en laat het eindigen op de klank 'au', waarop papa haar antwoordt: 'Ja, kom jij maar gauw.' Als reactie begint Marieke aan een nieuwe brabbelronde.
- Zingen, voorlezen, uit boekjes vertellen, zelfs reclamefolders en tijdschriften kunnen kinderen aanzetten tot communicatie.
- Ga mee in de fantasie van je kleuter. Stel vragen zodat het verhaal een lijn krijgt.

- Corrigeer het taalgebruik zonder te corrigeren. Hiermee bedoelen we dat een verkeerd woordgebruik wel moet worden aangegeven, maar niet zodanig dat je kind stopt met spreken.
  Kind: 'Ik heb pop gewast.'
  Ouder: 'Oh, nu is ze mooi hoor! Je hebt je pop flink gewassen.'

2. Elementen van een communicatieve houding

De techniek van het 'lege hoofd'

Het is zeer goed mogelijk dat deze uitdrukking vreemd overkomt. Wanneer we van iemand zeggen dat hij een leeg hoofd heeft, belooft dit meestal niet veel goeds. In het kader van communiceren is het echter een sterke techniek. Het betekent dat de ouder de communicatie met het kind aangaat zonder zelf van alles en nog wat in te vullen. Het kind wordt gerespecteerd als eigenaar van zijn eigen gedachten en de ouder wil van die gedachten zo veel mogelijk te weten komen. Jonge kinderen communiceren vaak nog heel open en eerlijk, tenminste als je ze in de communicatie vanaf het begin eerlijk tegemoet treedt.

De huidige tijd roept om etiketten, om oordelen. Gedrag wordt geïnterpreteerd. Wat we zien, willen we kunnen plaatsen. Op die manier wordt veel voor de ander ingevuld, zonder naar die ander te luisteren. Dat is ook het geval met kinderen. Ze vertellen een verhaal, stellen een handeling en de volwassene begint onmiddellijk te interpreteren. Dat is een risico, want hoe kun je, zeker bij jonge kinderen, weten of wat je denkt ook waar is?

Anderzijds is het natuurlijk ook zo dat baby's nog niet kunnen vertellen wat ze precies bedoelen. Bij hen moet de ouder het gestelde gedrag interpreteren en beoordelen. Dat is dan ook de reden waarom we in dit boek al een aantal keren opriepen om je kind zo goed mogelijk te leren 'lezen', zodat je aan hun gedrag de juiste betekenis kunt geven.

De baby is vandaag lastig. Mama concludeert al vlug dat het een rotdag is en ze hoopt dat die vlug voorbij zal gaan. Ze wordt zenuwachtig van het gehuil en gekrijs. Tegen de avond is ze dolgelukkig dat ze haar ouderlijke taak aan manlief kan overdragen. 's Anderendaags merkt ze dat haar kind echt wel veel koorts heeft. De baby had geen rotdag, maar beleefde het begin van ziek zijn. Had mama dit gisteren al ontdekt, dan was ze met een heel andere instelling met haar kind omgegaan.

We willen hier absoluut niet met stenen gooien. Dingen moeten immers de kans krijgen om zich duidelijk te maken. Wel willen we de aandacht vestigen op de gevaren van te snelle interpretaties.

'Samen met jou' communiceren

Communicatie is tweerichtingsverkeer! Wanneer jij een boodschap geeft aan je kind, zal je kind daarop reageren. Heb oog en oor voor deze reactie. Kinderen zijn communicatief nog niet fijn afgestemd en wat ze zeggen komt niet steeds overeen met de wijze waarop ze het zeggen. Ze bedoelen het niet slecht, maar de boodschap wordt op een verkeerde manier gebracht. Dit geeft de ouder juist de kans om het kind te leren hoe goede communicatie verloopt. Dat vraagt voor het kind de ruimte om te mogen communiceren met jou, maar evenzeer de ruimte om communicatiefouten te mogen maken.

Wanneer de communicatie met kinderen zich beperkt tot het geven van richtlijnen ('Aan tafel!', 'Opruimen!', 'Pyjama aan!'), dan is er voor het kind weinig ruimte om samen met jou in interactie te gaan.

Wees alert

Een kind geeft de hele dag door boodschappen naar de mensen in zijn omgeving, ook al als baby. Het is haast onmogelijk om al deze boodschappen te ontvangen en erop te reageren. Wanneer het kind echter ondervindt dat er weinig aandacht wordt gegeven aan zijn communicatie-initiatieven, dan is de kans groot dat het stopt met het uitzenden van signalen. Het gevolg daarvan is dat de ontwikkeling van de communicatie minder vlot verloopt dan mogelijk is. Op p. 95 merkten we reeds op dat zelfs baby's sterke signaalgevers zijn als het over communicatie gaat. Aan ons om de signalen op te vangen en er iets mee te doen. Hoe dat kan, werken we uit in Deel III.

Stel vragen

Vragen hebben een specifieke woordenschat en een eigen toon. Daarbij zetten ze kinderen aan tot nadenken en dat is voor hun algemene ontwikkeling van groot belang. Reeds als baby mogen ouders kinderen ermee confronteren, uiteraard zonder dat ze een antwoord verwachten.

- *'Heb jij je buikje lekker vol gegeten? Ik zag dat je het lekker vond.'*
- *'Heb je lekker geslapen? Dan zul je nu wel honger hebben.'*
- *'Mag eend mee zwemmen in je bad? Dat is erg lief van je, hoor.'*

Wanneer we kinderen op deze wijze benaderen, leren ze de structuur, maar vooral ook de toon en de mimiek van vragen. Zonder dat de ouders er zich van bewust zijn, gaan ze immers deze elementen op een 'normale wijze' gebruiken, misschien nog met iets meer accent omdat ze hun baby toespreken. Oudere kinderen mogen met vragen worden bestookt. Ze leren al zeer vlug dat een vraag een antwoord verwacht.

Marisa (18 maanden) is volop met woordontwikkeling bezig. Ze experimenteert momenteel met het woord 'nee'. Ze gebruikt het echter vaak wanneer ze 'ja' bedoelt. Mama speelt hiermee. Door regelmatig te vragen of ze een koekje of een spelletje wil, zorgt ze ervoor dat Marisa langzamerhand doorheeft dat wanneer ze 'nee' zegt, het begeerde niet komt. Mama zegt dan steeds: 'O, je bedoelde ja!'

Zo kunnen woorden reeds bij jonge kinderen een betekenis krijgen en worden gecorrigeerd wanneer ze foutief worden gebruikt. Tegelijkertijd kan er samen heel wat afgelachen worden.

Gebruik je hele lichaam om te communiceren en...

Herinner je: je kunt niet niet communiceren. Er is echter meer. Gebruik je lichaam, je mimiek, je stem om met kinderen te communiceren. Vooral bij de jongste kinderen zijn alle andere communicatiekanalen heel belangrijk. Kinderen krijgen zo de kans om jou te leren lezen. Dat zullen ze later als sociale vaardigheid erg goed kunnen gebruiken.

... besef wat je met je hele lichaam communiceert

Al je communicatiekanalen goed gebruiken, is al fantastisch. Beter nog wordt het wanneer je ze ook bewust inzet: wanneer je zelf ook weet wat de invloed is van bepaalde gelaatsuitdrukkingen, van een bepaald stemgeluid of bepaalde lichaamshouding.

Mama geeft niet gauw een uitbrander, maar wanneer ze haar ogen openspert en diep zucht, weten haar kinderen dat het vijf voor twaalf is en dat ze beter kunnen stoppen met datgene waarmee ze bezig zijn. Als dat dan ook gebeurt, maakt mama er geen woorden meer aan vuil. Ze weet dat de boodschap is overgekomen.

Mama is zich van deze actie zeer goed bewust en gebruikt die vooral graag wanneer ze met de kinderen in vreemd gezelschap is, of op familiefeesten. Ze vindt dat anderen niet hoeven te weten dat ze haar kinderen een uitbrander geeft en voor hen komt de boodschap op deze wijze ook over.

Spreek ook jouw gevoelens uit

Net zoals vragen, hebben ook gevoelens een eigen woordenschat. Er zijn veel verschillen tussen culturen wat betreft het spreken over gevoelens. Ouders hebben soms die cultuur van thuis uit niet meegekregen, voelen er zich wat onwennig bij. Toch is het zinnig voor (jonge) kinderen om heel vlug kennis te maken met de grote nuances die er in de woordenschat van gevoelens bestaat. Ben je nu bang, doodsbang, geschrokken...? Voel je je blij, opgewekt, gelukkig, dolblij...?

Kinderen hoeven deze nuances niet te kennen, en in de kleuterklassen leren ze nog veel over de basisgevoelens blij, bang, boos en verdrietig. Dat moet ouders er echter niet van weerhouden om aan te geven welke gevoelens bepaalde acties van kinderen oproepen.

Clara is een geweldig vrolijke peuter. De hele dag loopt ze te snateren, produceert de gekste geluiden en reageert onverwacht vrolijk op de meest normale situaties. Daardoor is ze in huis echt de vrolijkheid zelve, ook voor haar ouders. Ze brengt hen vaak aan het lachen. De ouders kunnen dan ook niet nalaten om regelmatig aan te geven hoe vrolijk ze Clara vinden ('Jij gekke meid! Ik word echt vrolijk van jou!', 'Kom, dan geef ik je een knuffel, want nu heb je me echt weer laten lachen').

De boodschappen van de ouders begrijpt Clara waarschijnlijk niet, maar door de toon waarop ze worden gezegd, door de lichaamshouding en de mimiek zal ze zich zeker aangesproken weten en zal ze voelen dat ze wordt gewaardeerd. Hieruit vloeit alleen maar nog meer vrolijk gedrag voort.

3. Het vormen van communicatiecirkels

Op p. 63 en verder schetsten we de communicatiecirkels in de derde ontwikkelingsstap van Greenspan (2002), die in dit hoofdstuk ook relevant zijn. We grijpen even terug naar het voorbeeld van Marieke.

Marieke kruipt rond, brabbelt allerlei klanken en laat het eindigen op de klank 'au', waarop papa haar antwoordt: 'Ja, kom jij maar gauw.' Als reactie begint Marieke aan een nieuwe brabbelronde.

We gebruikten dit voorbeeld eerder als illustratie om te laten zien hoe kinderen gestimuleerd kunnen worden om de communicatie te vervolgen en uit te breiden. Het belang van communicatiecirkels mag niet worden onderschat. Ze zorgen er immers voor dat de tijdelijke verbinding tussen ouder en kind een vervolg krijgt. Eveneens sporen ze het kind aan om cognitief naar nieuwe gegevens binnen het thema te gaan zoeken. Zo legt het verbanden en zal het de wereld beter leren begrijpen.

Het gezin zit aan tafel. Op het menu staan erwtjes, worst en de allerkleinste nieuwe aardappeltjes (krieltjes) van de eigen oogst. Er volgt een gesprek tussen Geert (6 jaar) en mama.

Geert: 'Wat een kleine aardappeltjes. Zo klein heb ik ze nog nooit gegeten.'

Mama: 'Dat klopt, ik heb de kleinste allemaal tot het laatst bewaard. Vandaag eten we ze op. Vind je ze lekker?'

Geert: 'Hmm.' (knikt 'ja')
Mama: 'Niet alle aardappeltjes zijn zo klein, weet je nog?'
Geert: 'Hmm.' (knikt 'ja')
Mama: 'Hoe komt het dat jij dat nog weet?'
Geert: 'Ik heb papa geholpen. Toen waren er ook heel dikke bij.'
Mama: 'Weet je nog hoe jullie dat hebben gedaan?'
Geert: 'Ja, papa nam een vork en haalde ze uit de grond. Ik raapte ze op en deed ze in de mand.'

Dit gesprek kan zo nog een tijdje doorgaan. Het loopt als een pingpongspel, waarbij ieder om beurten het balletje terugslaat. Geert doet hier een fantastische mentale inspanning. Hij vergelijkt de aardappelen van vandaag met die welke hij gewoonlijk eet wat betreft de grootte. Mama laat hem in gedachten teruggaan in de tijd en roept ook het rooien van de aardappelen weer op in zijn geheugen. Wanneer ouders op deze wijze gesprekken voeren met hun kinderen, bouwen ze lange communicatiecirkels op. Dat is ideaal voor hun kind om zich communicatief te ontwikkelen en ervan te genieten!

4. Vier basisboodschappen

Hoe verder je leest in dit boek, hoe meer het erop lijkt dat opvoeden een moeilijke opdracht is. Dat al te gecompliceerde en moeilijke willen we echter vermijden. Het moet plezierig blijven, deugd doen. Als ouder laat je elke dag wel ergens een opvoedingssteek vallen. Geen nood: die steek kun je gemakkelijk weer oprapen en je kind zal het je vlug en gauw vergeven... als je er ten minste voor zorgt dat vier basisboodschappen zo veel mogelijk aanwezig zijn in je relatie met je kind. Deze basisboodschappen zijn houdingen die je als ouder uitstraalt. Je moet ze niet de hele dag vertellen aan je kind, maar ze zijn zichtbaar in al wat je doet, niet alleen voor je kind, maar ook voor de toevallige waarnemer. Deze basisboodschappen geven je kind de zekerheid dat het zich mag ontwikkelen, dat het al eens een stommiteitje mag begaan, dat je je kind wel overeind zult helpen als het is gevallen... Elke basisboodschap bestaat uit twee delen: het eerste deel geeft aan wat de ouders aan het kind meegeven, het tweede deel is de boodschap die het kind ontvangt.

1. ' Ik hou van je'/'Er wordt van mij gehouden'

Een kind moet weten dat het graag gezien wordt. Dat zorgt voor een gevoel van veiligheid en geborgenheid. Deze boodschap lijkt misschien wat zoet, maar zorgt ervoor dat je elke dag opnieuw het vertrouwen verdient van je kind. Kinderen hebben nu eenmaal mensen nodig die het 'graag zien' uitstralen. Voor de meeste ouders is dit geen probleem. Wanneer professionals met kinderen willen werken, is ook voor hen deze basisboodschap, samen met de andere, belangrijk. Ieder van ons heeft weleens ervaren hoe goed het voelt te weten dat de mensen in je omgeving je graag zien. Het geeft energie en je wilt als tegenprestatie ook zo goed mogelijk voor de dag komen. Daarom is deze basisboodschap nodig. Ze zal kinderen de innerlijke motivatie geven om aan de slag te gaan met hun ontwikkeling.

2. 'Ik ben bij je'/'Ik ben veilig'

Goede ontdekkingsreizigers tasten de grenzen van het bekende af. Zo ook kinderen. Dat vraagt echter een gevoel van veiligheid. Wanneer een kind weet dat het steeds terug kan komen, dat zijn ouders op een positieve wijze een oogje in het zeil houden, dan zal het beter op ontdekkingstocht durven gaan. Dat gevoel van basisveiligheid dat nodig is om te durven ondernemen, wordt door deze basisboodschap ingevuld.

Het is echter geen betuttelende boodschap. Hier staat niet: 'Ik regel het wel voor je.' Dat is een boodschap met een heel andere inhoud, die remmend werkt op de ontwikkeling van het kind. Door te veel van het kind over te nemen, geven de ouders – vaak onbewust en zeker ongewild – de boodschap niet in het kind te geloven. Dat werkt het gevoel van veiligheid tegen. Loslaten waar het kind het alleen kan en ondersteunen waar het steun nodig heeft, dat is de boodschap.

3. 'Ik deel je opwinding'/'Ik kan het'

Kinderen zijn ontdekkingsreizigers. Ze zoeken nieuwe ervaringen op, gaan uitdagingen aan. Zo worden ze geboren. De uitzonderingen bevestigen de regel. Ze kunnen deze houding verder ontwikkelen of gaan inperken. Ontwikkeling zal plaatsvinden wanneer ze gestimuleerd worden. Ouders die hun kinderen ondersteunen in hun ontdekkingstocht en enthousiast zijn over hun ontdekkingen, zullen ze aanmoedigen om hun tocht voort te zetten. Het loont de moeite om te handelen! Kinderen leren uit de houding van hun ouders, namelijk dat positieve opwinding kan en mag gedeeld worden. Het delen van de opwinding van de kinderen over wat ze hebben ervaren, geeft ze als het ware toestemming om door te gaan met hun ontdekkingstocht.

4. 'Ik geef je antwoord'/'Er wordt naar mij geluisterd'

Verschillende cognitieve ontwikkelingspsychologen beweren dat kinderen als vragen stellende wezens worden geboren en een van hen, Sternberg (1999), merkt daarbij op dat ouders ervoor zorgen dat hun kinderen ofwel vragen blijven stellen, ofwel ermee stoppen. De beste manier om kinderen af te leren om vragen te stellen, is ervoor zorgen dat ze geen antwoord krijgen. Maar vragen stellen is vaak de eerste stap van de hierboven reeds genoemde ontdekkingstocht. Kinderen die geen vragen meer stellen, ondergaan het leven.

Het vragen stellende kind daarentegen gaat actief om met zijn omgeving en tracht er vat op te krijgen. Meer nog, kinderen die antwoord krijgen op hun vragen, zullen daardoor aangemoedigd worden om nog meer verbanden te leggen in de complexe wereld die hen omringt.

Deze basisboodschappen zijn geformuleerd door Klein (1996). Vroeger refereerde zij vaak aan de eerste boodschap, maar in haar recentere werk is die weggevallen. Vanwege het belang van deze boodschap als basishouding van de ouder hebben we ze toch in onze tekst opgenomen. Ook voor professionele begeleiders is deze boodschap belangrijk. De basis van het begeleiden van kinderen is dat het kind zich door zijn begeleider graag gezien voelt. Stilstaan bij deze boodschap en de eigen houding daarbij, is daarom voor elke begeleider een must!

Samenvatting

- Je kunt niet niet communiceren. Wanneer ouders hun kind veel observeren, worden ze de communicatiedeskundige van hun kind.
- Communicatie is veel meer dan het gebruiken van woorden. Woorden zijn slechts een klein deel van de boodschap. Lichaamstaal, mimiek en stemgebruik zeggen zoveel meer dan woorden alleen. Het is daarom goed om oog te hebben voor alle aspecten die het kind gebruikt om met zijn omgeving te communiceren. De ontwikkeling van communicatie vindt ook weer plaats in verschillende opeenvolgende stappen, die door de meeste kinderen op dezelfde manier worden gezet.

- Baby's geven vooral lichaamstaal en geluiden ten beste. Moeders onderscheiden zeer vlug wat elk geluid, elke beweging betekent. Ze kunnen erop reageren. In het leven van de peuter krijgt taal een symbolische betekenis: woorden vertegenwoordigen iets. De kleuter ontwikkelt dan weer een stortvloed van woorden die hem in staat stelt om zijn gedachten steeds beter te ordenen en met elkaar te verbinden, en zijn eigen verbeelding de ruimte te geven.
- Ook ouders communiceren, want communiceren is tweerichtingsverkeer. Daarom onderzoeken ouders hoe zij omgaan met lichaamstaal, mimiek en stemgebruik. Hoe beter zij zich hiervan bewust zijn, hoe sterker bepaalde interactiesignalen kunnen worden ingezet.
- Na enkele belangwekkende tips om te komen tot een open en eerlijke communicatie met kinderen, zorgen de basisboodschappen van Klein voor een geruststelling: vanuit een goede basishouding kan er weleens iets verkeerd gaan, maar dat zal de relatie met het kind niet nadelig beïnvloeden.

Deel iii •• Een kwaliteitsvolle interactie ontwikkelen

Inleiding

In Deel I beschreven we waarom interacties tussen ouders en kind zo belangrijk zijn. Kinderen ontwikkelen zich in interactie met mensen in hun omgeving, binnen een bepaalde cultuur. De term 'interactie' kan in de praktijk echter heel verschillende vormen aannemen: ze kan koel of warm zijn, direct of indirect, lichamelijk nabij of afstandelijk, gericht of oppervlakkig, belerend of bevragend, bevelend of uitnodigend...

Deze verschillende vormen bepalen wat er tussen twee of meer mensen zal gebeuren. In dit boek bespreken we interacties met kinderen. Onderzoek heeft al meerdere keren uitgewezen dat de manier waarop de interactie verloopt, bepaalt of het kind er sterk of zwak bij betrokken is. De volgende twee vragen dringen zich daarom op: (1) Wanneer spreken we van een kwaliteitsvolle interactie? (2) Welke criteria bewerkstelligen een kwaliteitsvolle interactie? Voor de eerste vraag keren we terug naar het begrip wederkerigheid. Een interactie die tussen alle betrokkenen tot sterke wederkerigheid leidt, is kwaliteitsvol. De tweede vraag kunnen we dus als volgt herformuleren: wat zorgt ervoor dat een interactie leidt tot grote wederkerigheid tussen jou en je kind?

Er is echter meer! Als ouder heb je voor je kind doelen voor ogen. In ons werk met ouders wordt dit steeds duidelijker: ouders hebben wensen en dromen – anders gezegd: doelen – voor hun kinderen. En hoewel ze zich van deze doelen niet steeds bewust zijn, komen die in hun handelen regelmatig tevoorschijn.

We behandelen in de komende hoofdstukken daarom de volgende elementen:

- Wat zijn doelen die ouders stellen?
- Welke elementen maken van een interactie een kwaliteitsvolle interactie?
- Hoe kan een kwaliteitsvolle interactie ervoor zorgen dat doelen beter worden bereikt?

1. Over zichtbare en dieper liggende doelen

Mama komt Eva (1 jaar) ophalen bij haar grootouders en ziet dat haar jongste op opa's schoot zit. Samen kijken ze in een tijdschrift. 'Ha', zegt mama, 'jullie zijn samen in een boekje aan het kijken!' Waarop opa al grappend zegt: 'Je kunt ze niet vroeg genoeg leren lezen.'

Het mag dan wel als een grap klinken, maar zo gek is het nog niet wat opa zegt. Wanneer we willen dat Eva later graag, en dit laatste woord is belangrijk, bezig zal zijn met boeken, is het inderdaad best mogelijk dat de actie van kind en opa daartoe kan bijdragen. In de geborgenheid van opa's schoot leert Eva zich immers richten op de plaatjes, leert ze bladzijden omdraaien, leert ze dat je bladzijden terug kunt slaan, leert ze dat bij de plaatjes verhalen kunnen worden verteld...

Allemaal zaken die interessant zijn om 'graag lezen' te ontwikkelen. Je kunt er dus inderdaad niet vroeg genoeg mee beginnen.

Wanneer mama onverwacht binnenkomt, ziet ze het zichtbare doel van de activiteit: samen in een boek kijken. Dieper liggend is er echter nog een doel voor opa: Eva zin laten krijgen in het omgaan met boeken.

Als ouders zijn we niet zo vaak bezig met die dieper liggende doelen. We zijn bezig met het kind. Dat bezig zijn op zich heeft vaak weinig zichtbare doelen. Dat mag ook. We moeten niet steeds allerlei doelen in ons achterhoofd hebben. Wanneer we echter steeds 'zomaar' bezig zijn, is de kans reëel dat we vlug vervallen in routineactiviteiten die weinig gericht zijn op ontwikkeling. Daarom is het goed dat ouders een doel hebben voor de activiteiten die ze ondernemen met hun kind.

Maar laten we eerst eens stilstaan bij het verschil tussen zichtbare doelen en dieper liggende doelen.

Ruth is in wezen een bange peuter. Zij zal niet vlug uit eigen initiatief iets nieuws aanpakken. Daarvoor heeft ze steeds iemand nodig om dat nieuwe te introduceren. Het was een heel moeilijk proces om haar in de toren te laten klimmen die haar ouders voor haar in de tuin hebben gezet. Vooral het van de glijbaan glijden bleef lang een onmogelijke uitdaging.

Nu neemt papa haar mee naar de grote speeltuin aan de rand van de stad. Hij loopt er met Ruth langs allerlei speeltuig, moedigt haar aan om erop te gaan, laat haar kijken naar de kinderen die naar hartenlust in en op de speeltuigen spelen. Ruth kijkt vooral de kat uit de boom, maar wat de andere kinderen doen, boeit haar wel. Zal ze zich laten verleiden?

Een toeschouwer van dit gebeuren neemt verschillende dingen waar en zal waarschijnlijk denken dat deze papa met zijn dochter naar de speeltuin komt om er samen plezier te beleven. Dat is het zichtbare doel dat de buitenstaander ziet. Maar papa heeft een dieper liggend doel dat veel belangrijker is dan het zichtbare: hij hoopt dat hij in deze speeltuin kan bereiken dat Ruth wat minder angstig wordt om nieuwe uitdagingen aan te gaan.

In een activiteit zijn sommige doelen zichtbaar aanwezig, andere zijn dieper liggend. We kunnen ze niet onmiddellijk afleiden uit hetgeen we kunnen waarnemen. Dieper liggende doelen kunnen slechts afgeleid worden uit de wijze waarop de ouders het verhaal in interactie brengen. Waar leggen ze klemtonen? Waar breiden ze uit? Wat benoemen ze uitdrukkelijk?

Als opa met de kleinkinderen naar een cd met kinderliedjes luistert en die met hen tracht mee te zingen, dan is het zichtbare doel: 'samen zingen met behulp van een cd'. Maar opa kan verschillende dieper liggende doelen hebben. Afhankelijk van het dieper liggende doel zal hij op een andere wijze in interactie treden met zijn kleinkinderen:

- Als opa wil dat ze goed leren luisteren, zal zijn interactie vooral gericht zijn op het luisteren, minder op het zingen.
- Als opa wil dat ze samen plezier beleven aan muziek, zal zijn interactie ruimte laten om samen te dansen, uit te beelden, luidkeels mee te zingen...
- Als opa wil dat ze de woorden leren onthouden, zal zijn interactie ervoor zorgen dat elk lied meerdere keren klinkt. En hij zal het lied telkens duidelijk verstaanbaar meezingen.

Deze dieper liggende doelen zijn de belangrijkste. Ze bepalen waarvoor de ouders willen gaan op lange termijn. Om die doelen te kunnen stellen, zullen de ouders een duidelijk beeld moeten hebben van de ontwikkeling van hun kind. Wat kan dit kind een stapje verder brengen? Zo krijgen het materiaal, de inhoud en de activiteit betekenis afhankelijk van het kind, en niet omgekeerd.

Wat zijn de kenmerken van zichtbare en dieper liggende doelen? Zichtbare doelen tonen zich in de activiteit. Ze zijn expliciet aanwezig:
- Tafel dekken met de kinderen.
- Samen in de zandbak spelen.
- Tanden poetsen.
  Ze worden ook vaak duidelijk geformuleerd:
- 'Trek je pyjama aan.'
- 'Kom je mee opruimen?'

Dieper liggende doelen daarentegen zijn niet onmiddellijk af te leiden uit hetgeen we waarnemen. Als we de ouders ernaar vragen, zullen zij ze wel kunnen geven:
- Misschien zijn het opruimen, de tanden poetsen en de pyjama aantrekken achtereenvolgende handelingen waarmee ze hun kind willen leren plannen. Het kind leert hoe handelingen

achtereenvolgens worden gesteld, tenminste... als dat gecommuniceerd wordt!

- Misschien is het samen de tafel dekken bedoeld om het kind één-op-éénrelaties aan te laten gaan, omdat op de ouderavond de kleuterleidster opmerkte dat daar wat problemen waren.
- Misschien is het samen spelen in de zandbak wel bedoeld om de angst van het kind voor vreemde materialen te leren overwinnen.

Evengoed echter kunnen al deze handelingen een totaal ander dieper liggend doel hebben. Misschien zelfs geen...

Hoe kan een toevallige toeschouwer nu te weten komen wat het dieper liggende doel is? Dieper liggende doelen laten zich op termijn ook kennen:

- Door datgene wat de ouder uitdrukkelijk benoemt. Opa zegt: 'Waw! Dat heb jij mooi gezongen! Jij hebt zeker goed geluisterd de eerste keer!'
- Door de verbanden die de ouder legt. Als mama bij het dekken van de tafel het verband legt met 'voor elke persoon aan tafel één bord, één mes en één vork', dan wordt haar doel al veel duidelijker.
- Door de uitdaging die de ouder het kind aanreikt. 'Het is tijd om te gaan slapen', zegt mama tegen haar kind. Daarna vraagt ze: 'Wat is het eerste wat we nu gaan doen?'

Ouders zijn zich meestal niet erg bewust van de dieper liggende doelen die ze met hun kind willen bereiken. Het zijn vaak doelen die ze als vanzelfsprekend voor de opvoeding beschouwen. Pas wanneer anderen ernaar vragen of hen er bewust van maken, realiseren ze zich wat ze voor hun kind eigenlijk wensen. Om de dieper liggende doelen voor je kind te kennen, zijn nauwkeurige observatie van je eigen gedrag en zelfreflectie nodig.

Trainingen met ouders doen we steeds met video. We nemen gedurende korte tijd een interactie op en kijken er dan samen naar met de ouder.

Tijdens een bepaalde training toont een papa een interactie tussen hem en zijn dochter van één jaar. Ze spelen samen met de blokken. De dochter grijpt een blok uit een doos en reikt het telkens over aan haar papa, die uitdrukkelijk 'dank je wel!' zegt. Daarna geeft papa het blokje terug aan zijn dochter met steeds uitdrukkelijk 'alsjeblieft' erbij. Bij de bespreking achteraf viel hem dit meteen op en hij zei lachend: 'Ik wil dat ze een beleefd meisje wordt.' De trainers gingen hier dieper op in en al gauw kwam hij erachter dat hij beleefdheid inderdaad erg belangrijk vindt en dat hij inderdaad wil dat zijn dochter die eenvoudige woorden heel vlug kent. Hij beseft nu dat hij dit ook telkens doet wanneer ze bijvoorbeeld in een winkel een snoepje krijgt, of wanneer iemand iets voor zijn dochter doet. Zonder er zich van bewust te zijn was beleefdheid een dieper liggend doel geworden, dat heel snel zichtbaar werd bij het gebruik van videobeelden.

Weten welke dieper liggende doelen jij voor je kind hebt, heeft vooral voordelen. Want je kunt er dan bewust mee bezig zijn, je handelen er bewust op richten, waardoor de kans dat je ze bereikt veel groter wordt.

Waarden, normen en overtuigingen vormen dikwijls de dieper liggende doelen, zoals het laatste voorbeeld ook aantoont. Dat is een reden te meer om je er als ouder van bewust te zijn. Je gaat ze immers verlangen, verwachten van je kind. Je geeft je kind richtlijnen en opmerkingen die ernaar verwijzen. Dat zorgt ervoor dat dieper liggende doelen, hoewel niet direct zichtbaar, toch al heel gauw door de kinderen zelf herkend worden. Zij voelen al snel dat hun ouders zich richten op gezondheid, voorzichtigheid, eerlijkheid, gehoorzaamheid, zelfstandigheid, respect, vrolijke sfeer...

of welk dieper liggend doel dan ook. Kinderen voelen dit door de dagelijkse interactie die hun ouders met hen aangaan.

Oefening: de dieper liggende doelen voor jouw kind
Wat zijn jouw dieper liggende doelen voor je kind? Ook als professional kun je je deze vraag stellen. Als je het niet weet, bevraag dan je partner, een collega, je kind. Misschien bieden zij je goede inzichten. Schrijf ze op en leg ze tot morgen opzij.
Ga na wat je met je kind deed sinds je je dieper liggende doelen opschreef. Welke acties, opmerkingen, aanmoedigingen... gaf je die te maken hadden met die dieper liggende doelen? Herken je ze? Als dat niet het geval is, ga dan voor jezelf na of wat je opschreef wel datgene is wat je echt wilt, of waarom je zo weinig met je dieper liggende doelen bezig was.

2. Dieper liggende doelen selecteren

Een ouder kan zich honderden dieper liggende doelen stellen. Maar waar begin je en waar eindig je? Wat is op welke leeftijd belangrijk? Zijn er 'diepe' en 'diepere' doelen? Hoe combineren we ze met de zichtbare doelen? Al deze vragen leiden ons tot het gevoel dat kinderen opvoeden heel moeilijk kan zijn, maar we merkten eerder al op dat dat niet de bedoeling is. Daarom is het goed om dieper liggende doelen te selecteren die de basis vormen om veel van onze wensen te realiseren. Daarnaast zijn ze ook leeftijdoverschrijdend, zodat we ze gedurende lange tijd kunnen inzetten. Het MISC-concept (een letterwoord voor zowel *Mediational Intervention for Sensitizing Caregivers* als *More Intelligent and Sensitive Children*) van Klein (1996) geeft hiervoor een kader.

Iemand kan iets doen omdat hij het zelf wil (innerlijke of intrinsieke motivatie) of omdat een ander het oplegt (extrinsieke motivatie). In het dagelijkse leven heeft iedereen met beide vormen van motivatie te maken. We willen graag onze vrienden ontmoeten (intrinsieke motivatie) en vullen jaarlijks onze belastingaangifte in omdat het moet, want anders volgt er een boete (extrinsieke motivatie). We hoeven niet uit te leggen dat de innerlijke motivatie de sterkste is en de beste resultaten oplevert. Wanneer we zelf iets willen bereiken, zullen we er meer energie voor vrijmaken.

Daarom kunnen ouders het beste zo veel mogelijk proberen te werken vanuit innerlijke motivatie. En dat is niet zo moeilijk als het misschien lijkt, tenminste... als we daar vanaf het begin op gericht zijn. Kinderen willen zich immers graag ontwikkelen en ze willen daarbij ook hun eigen ontwikkeling in de hand hebben. Dat gebeurt vanuit een innerlijke motivatie.

Wanneer we dieper liggende doelen voor onze kinderen willen stellen, kunnen we dus het beste vertrekken vanuit de wens om bij kinderen een innerlijke behoefte te ontwikkelen. De dieper liggende doelen van Klein (1996) beginnen daarom allemaal met de woorden 'ontwikkelen van behoefte om te'. Haar concept werkt vanuit vijf dieper liggende doelen. Die werken we nu eerst uit. Daarna lichten we toe wat we kunnen doen om ze te bereiken.

Ontwikkelen van behoefte om nauwkeurig waar te nemen

Wie zich wil ontwikkelen, doet dit binnen een bepaalde omgeving, onder bepaalde omstandigheden, binnen een bepaalde cultuur, vanuit een eigen instelling. Ontwikkeling is stuk voor stuk kleine taken uitvoeren en uitdagingen aangaan. Dat kan alleen wanneer je opmerkt wat de omgeving je te bieden heeft. We gaven eerder reeds aan hoe belangrijk, al vanaf de geboorte, het leren gebruiken van de zintuigen is. Kinderen zullen dit uit zichzelf niet snel doen. Ze gebruiken vanuit zichzelf wel hun zintuigen, maar de kwaliteit van het gebruik is beperkt wanneer kinderen niet gestimuleerd worden om ze nauwkeurig in te zetten. Als jong kind hebben ze immers nog geen weet van wat de omgeving te bieden heeft. Ze moeten ook nog leren om zich binnen al het waarneembare te richten op wat belangrijk is en wat minder ter zake doet.

Wat is er op een luchthaven al niet te zien! Ogen en oren schieten tekort om het allemaal waar te nemen. Veronderstel dat je dat toch grondig zou willen doen, dan mis je gegarandeerd je vlucht. Veronderstel even dat je, om op je bestemming te komen, twee vluchten moet nemen en dat je een halve dag tussen die twee vastzit op een van die vele kleine luchthaventjes die Europa rijk is. Niet veel te zien en het kost minstens een uur met de bus om in de stad te komen. Je besluit om wat te werken op je laptop. Er is geen internetruimte of andere computerruimte te zien en reizen in de eerste klas is niet voor jouw portemonnee. Je kunt dus ook niet naar de lounge. Je beseft dat je maar twee uur op je laptop kunt werken, want daarna is de batterij leeg. Nu wordt het een kwestie van nauwkeurig waarnemen. Je moet een plek vinden waar je een stopcontact kunt gebruiken en waar je toch redelijk ongestoord kunt werken. Je zult je aandacht richten op alleenstaande, al dan niet verborgen stopcontacten. Die zijn er genoeg te vinden, maar niet steeds in een omgeving waar je ook kunt zitten. Je hebt geen oog voor al die aantrekkelijke taksvrije winkels en hun blinkende producten. Je richt je waarneming...

Wat de persoon in dit voorbeeld aan vaardigheden nodig heeft, kan hij al beginnen te leren in zijn babytijd. De ouders zullen ervoor zorgen dat het kind gericht leert waarnemen en daarbij gebruikmaakt van al zijn zintuigen en van zijn eerdere ervaringen die in zijn geheugen zijn opgeslagen.

Een therapeut speelt met een jongetje van vijf jaar het spel colorama,
waarbij blokken in vijf verschillende vormen en in vijf verschillende
kleuren op de juiste plaats op een bord moeten worden geplaatst.
De therapeut laat de jongen het spel klaarzetten en vraagt daarna:
'Hoe denk jij dat dit spel moet worden gespeeld?' Maar de jongen
kan de oplossing niet vinden. Hij heeft zelf alle materiaal uit de
doos gehaald, maar niet opgemerkt dat er twee dobbelstenen bij
zitten die noodzakelijk zijn om het spel te spelen. Wanneer de the-
rapeut hem hierop attendeert, weet de jongen onmiddellijk wat hij
moet doen. Achteraf beseft de therapeut dat de jongen regelmatig
belangrijke elementen in een situatie niet ziet...

Nauwkeurig waarnemen is een bewust proces waarbij je de zintuigen cognitief inzet om die prikkels te selecteren die nodig zijn
om de juiste informatie op te nemen. Daardoor geef je betekenis
aan wat je waarneemt. Dat is niet hetzelfde als weten wat je ziet,
hoort, voelt, proeft of ruikt, maar wel de bewustwording van hetgeen je hebt waargenomen.

Al te vaak gaan volwassenen ervan uit dat kinderen die geen
problemen hebben met hun zintuigen, ze ook goed gebruiken.
Onze praktijk bewijst het tegendeel. Nauwkeurig waarnemen is
een vaardigheid die veel oefening vergt!

Ontwikkelen van behoefte om te zoeken naar betekenis-verlening en opwinding

Kinderen zijn ontdekkingsreizigers. Ouders kunnen hun reisge-
zellen zijn. Reisgezel zijn betekent 'samen zijn', niet vanuit een lei-
dende positie, maar als gelijkwaardig lid tijdens de reis. Wanneer
het aanbod van de ouders voor het kind een persoonlijke waarde kan hebben, dan zal het kind achteraf geneigd zijn om naar
dat aanbod terug te keren. Ouders mogen natuurlijk hun kind
tot dingen verplichten. Het doel is echter dat het kind de waarde

ervan leert inzien en achteraf de activiteit vanuit innerlijke motivatie zelf verder zal ontwikkelen.

Wie rondkijkt in zijn omgeving ziet het belang van dit dieper liggende doel. Wanneer we onderzoeken welke kinderen er naar de muziekschool gaan, merken we dat velen van hen ouders hebben die zelf musiceren of met de kinderen naar muziekuitvoeringen gaan. Hetzelfde stellen we vast bij kinderen die sporten. Zelfs de keuze van de sport is vaak afhankelijk van de sport die de ouders beoefen(d)en. Kinderen die interesse hebben voor de natuur, komen dikwijls uit gezinnen waar wordt gewandeld, een tuin onderhouden of een huisdier verzorgd. Veel lezers zullen bijvoorbeeld wel een gezin kennen waar de vader en zijn opgroeiende zonen veel weten over auto's en alles wat daarbij komt kijken. Misschien had jij ook wel een leerkracht in je leven die ervoor heeft gezorgd dat je nu graag leest, schrijft, knutselt, met getallen bezig bent...

Deze voorbeelden tonen aan dat het er wel terdege toe doet wat je als ouders aanbiedt aan je kind. Daarom is het ook belangrijk te beseffen aan welke dingen je heel veel waarde hecht en wat je uitstraalt naar je kind, want je kind zal hiervan een groot deel overnemen.

Dit dieper liggende doel heeft nog iets meer in zich: we helpen kinderen niet alleen om de behoefte te ontwikkelen aan betekenisverlening, maar ook aan het zoeken naar opwinding. Wees gerust, met dit doel willen we niet dat kinderen zich ontwikkelen tot hyperactieve, nerveuze wezentjes die ons grijze haren bezorgen. Opwinding zoeken heeft hier een totaal andere invulling. Als het waar is dat kinderen graag op ontdekkingsreis gaan en ze krijgen daartoe de kans van de ouders, dan zal het kind vaak aha-ervaringen beleven. Het raakt opgewonden van dingen die het zelf ontdekt.

- *De baby slaat met zijn houten speeltje op tafel. Dat geeft veel lawaai. Dat is voor de baby een hele ontdekking. Hij zal de handeling herhalen en je aankijken om te zien of jij het ook zo opwindend vindt.*
- *De peuter zit in bad. Mama giet een glas water over zijn hand. Dit vindt hij geweldig. Het zal mama uitnodigen om dit te blijven doen, en nog eens, en nog eens... De peuter straalt opwinding uit, telkens wanneer mama de handeling herhaalt.*
- *De kleuter speelt met een spel waarbij hij figuren op een bepaalde wijze moet ordenen, zoals aangegeven op een kaart. Wanneer het lukt, komt er een mooie tekening tevoorschijn. Hij toont trots zijn resultaat aan papa. Die geeft er de nodige aandacht aan, waarna de kleuter opnieuw naar de tafel gaat en de volgende kaart probeert te maken.*

In elk van de voorbeelden hebben we al een tip van de sluier opgelicht over de voorwaarde die het kind nodig heeft om deze innerlijke behoefte te ontwikkelen: de ouder moet de opwinding van het pas ontdekte delen (dat was ook één van de vier basisboodschappen, zie pagina 106).

Ontwikkelen van behoefte om te zoeken naar informatie buiten het direct zintuiglijk waarneembare, om te exploreren, om vragen te stellen en om hulp te vragen

Dit doel klinkt heel moeilijk, maar ligt in het verlengde van de vorige twee. De bedoeling is dat kinderen verder gaan kijken dan hun neus lang is.

Wanneer iemand binnenkomt in huis met natte kleren, dan merkt elk kind op dat die kleren nat zijn. Dat is het direct waarneembare. Eruit afleiden dat het buiten dus waarschijnlijk regent, dat die persoon zijn auto waarschijnlijk niet vlak bij huis kon parkeren, dat het speelgoed dat buiten is blijven liggen nu ook nat zal zijn, dat het raam van de slaapkamer dicht moet... dat is heel wat anders. Dat vraagt veel ervaring, voorkennis, maar vooral de behoefte om zich bezig te willen houden met dit soort overdenkingen. Kinderen die dat kunnen, hebben geleerd om afleidingen te maken, om verder te denken dan het direct waarneembare.

Ook deze vaardigheid ontwikkelt zich niet vanzelf. Als kinderen niet de innerlijke behoefte ontwikkelen om dit te doen, zullen ze het niet doen. In dat geval worden ze geremd in hun exploratie-drang. Dat exploreren is een houding die we kinderen kunnen aanleren, evenals de behoefte om vragen te stellen. Kinderen die deze behoefte niet (meer) hebben, houden op met nieuwsgierig te zijn naar kennis, hebben geen behoefte meer om vaardigheden te ontwikkelen.

Emma (5 jaar) is ongelooflijk geïnteresseerd in getallen. Tijdens een wandeling loopt ze van huis tot huis en zegt telkens met grote verbazing: 'Kijk, dat is een vijf en een zes.' Bij het volgende huis: 'Hier, een vijf en een acht.' Daarna: 'Een zes en een nul.' Na een paar reeksen merkt ze op dat het eerste getal telkens een paar keer terugkomt. Mama vraagt: 'Hoe dikwijls?' Emma gaat terug en telt. Vijf keer! Mama vraagt of dat ook zo is voor de laatste cijfers. Nee, die veranderen altijd. Mama gokt. Ze weet dat Emma de getallen tot tien al kent. 'Zijn er achteraan ook getallen die je nooit ziet?' Weer lopen ze een stuk terug om te kijken. Emma merkt op dat de vijf en de zeven nooit voorkomen. De andere getallen merkt ze niet op, maar mama is nu al erg trots op haar dochter. Ze gokt nogmaals. 'En toch denk ik dat je in de straat nummers vindt die achteraan een zeven hebben.' Emma gaat op zoek aan dezelfde kant van de straat. Ze vindt niets. Mama merkt op dat er aan de andere kant van de straat ook huisnummers zijn. Emma is ape-trots wanneer ze een huisnummer vindt met achteraan een zeven.

Wanneer we dit voorbeeld geven tijdens trainingen, zien we soms cursisten met de ogen draaien. Ze geven een lichaamsuitdrukking in de zin van: 'Wat een geobsedeerde moeder. Die wil haar dochter zeker al naar de universiteit sturen als ze tien jaar is!' Dat is een spijtige gedachte. Niet alleen gebruikt de moeder Emma's interesse om haar verder te laten kijken en leert ze haar ook nog welke vragen ze kan stellen, maar het belangrijkste is: Emma en haar moeder amuseren zich een ongeluk. Ze zullen misschien niet ver wandelen, maar ze zullen samen wel veel lol hebben gemaakt! Misschien zelfs zal Emma 's avonds haar vader vertellen dat er in de straat aan de ene kant achter aan de nummers wel zevens staan en aan de andere kant niet. Aan hem de taak om hier even enthousiast over te worden als zijn dochter.

Ontwikkelen van behoefte om succes te ervaren en opdrachten af te ronden

Mensen zijn succeszoekers. We vinden het fijn wanneer anderen ons een complimentje geven over iets wat we goed hebben gedaan. Maar ook hier ligt er meer onder de oppervlakte. Wanneer we succes ervaren, willen we dit graag herhalen. We willen dat heerlijke gevoel van slagen nog eens ervaren, en nog eens, en nog…

Dat is ook zo voor kinderen. Iets waarin ze succes ervaren, willen ze graag nog eens doen. Maar als ze (te) veel mislukkingen ervaren, verdwijnt deze innerlijke motivatie. Erger nog, misschien ontwikkelen ze faalangst die ze belet om nieuwe uitdagingen aan te gaan. Een ander gevolg kan zijn dat ze misschien nog wel uitdagingen aangaan, maar bij de minste tegenslag al opgeven.

Kleuterleidsters kennen dit verschijnsel erg goed. Elk jaar zit er wel een kind in hun klas dat in de vrije keuzemomenten van de ene hoek naar de andere 'fladdert', zelden echt iets begint, nog

minder iets afmaakt. Deze houding geeft aan dat het kind veel
moeite heeft met dit dieper liggende doel. Als de kleuterleidster
wil dat het kind zich ontwikkelt tot een initiatiefnemend jong
mensje, staat ze voor een erg belangrijke opdracht.

Oefening: waar ben jij goed in?
Denk even na over een opdracht die je regelmatig uitvoert en
die je, als het aan jou zou liggen, vaak op dezelfde wijze zou
willen doen. We denken hierbij aan dingen als:
- Als er bezoek komt, krijg je altijd complimentjes over je
heerlijke tiramisu.
- Bij het voetballen is er niemand die de bal zo ver kan ingooi-
en als jij.
- Jij bent thuis de kampioen in het afwimpelen van vervelende verkopers via de telefoon.
- Als er op een feestje gelachen moet worden, ben jij degene
die de grap moet vertellen.

Denk even na over een aantal dingen waarvan je weet dat jij er
goed in bent. Is het mogelijk dat je je tot dit soort opdrachten
gemakkelijker laat overhalen dan voor andere dingen? En als
je antwoord 'ja' is, zou het dan kunnen zijn omdat die dingen
je een gevoel van succes geven?

Ontwikkelen van behoefte om eerst te denken en dan te doen

Ook dit lijkt een 'grotemensendoel', typisch voor onze westerse
wereld. Anderzijds zorgt een beetje organisatie zowel voor duidelijkheid (in kindertermen veiligheid), als voor ruimte om veel
fijne dingen te kunnen doen. Een chaotisch leven lijkt soms wel
aantrekkelijk, maar wordt al vlug stresserend wanneer je voort-

durend achter jezelf aanloopt omdat je allerlei spullen niet vindt en zelden gedaan krijgt wat je gedaan wilde krijgen. En dat alleen wegens te weinig orde en planning. Ook kinderen hebben hiermee te maken. Ook voor hen is het frustrerend te merken dat er een stukje ontbreekt wanneer de puzzel bijna af is. Of te moeten ervaren dat ze door de chaotische maaltijdplanning van hun ouders om de zoveel dagen hun lievelingsserie op tv niet kunnen zien.

Opa: 'Wie helpt me met tafeldekken?'
Mehmed (6 jaar) staat onmiddellijk klaar.
Opa: 'Weet jij wie er allemaal mee-eet?
Samen tellen ze: 'Opa, oma, Mehmed en Harroucha.'
Opa: 'Wat denk je dat we eten, warm of koud?'
Dat weet Mehmed niet.
Opa: 'Vraag het gauw even aan oma en vraag haar ook welke borden we moeten hebben.'
Vlug is Mehmed terug: er wordt warm gegeten en er is ook soep.
'Neem jij dan maar de platte en de diepe borden', zegt opa.
Hij controleert of Mehmed er vier van elk neemt en prijst hem wanneer blijkt dat hij het goed doet. Samen dekken ze de tafel en laten zich daarna het eten goed smaken.

Een beroepsmisvormde opa? Nee, want samen maken ze er een gezellige activiteit van en Mehmed is erg trots dat hij samen met opa de tafel heeft gedekt. Best mogelijk zelfs dat opa er zich niet van bewust is welke schitterende opvoedingshandelingen hij stelt. Want dat zijn ze. Hij dekt niet alleen de tafel met Mehmed, maar denkt samen met zijn kleinzoon na over de vragen die je je moet stellen wanneer je de tafel dekt. Als hij vaak, bewust of onbewust, dit soort acties met Mehmed onderneemt, mag hij er redelijk op vertrouwen dat de jongen de innerlijke behoefte zal ontwikkelen om eerst na te denken, daarna te handelen.

Tot besluit

Dit zijn ze dus: de vijf dieper liggende doelen die we met kinderen nastreven. Hopelijk komen ze niet wereldvreemd over. Verder in dit boek zullen we aantonen dat ze basisbehoeften zijn om ook de dieper liggende doelen die je formuleerde op p. 116 te realiseren.

Anderzijds hopen we ook dat ze niet te vanzelfsprekend overkomen, want vanuit onze praktijk weten we wat de meerwaarde ervan kan zijn wanneer ouders ze bewust gaan inzetten. Dat betekent echter ook dat ze niet steeds intuïtief worden toegepast en dat het dus belangrijk kan zijn er expliciet mee bezig te zijn.

Het mag ook duidelijk zijn dat de basisboodschappen op p. 104 zeer nuttig kunnen zijn om de dieper liggende doelen waar te maken.

Daarmee hebben we de belangrijkste vraag uit dit boek aan de orde gesteld, maar nog niet beantwoord: wat kunnen we heel concreet doen om die dieperliggende doelen te bereiken? Voor een antwoord op deze vraag wordt het nu de hoogste tijd!

3. Naar een kwaliteitsvolle interactie

Waarom ontwikkeling vanuit interactie?

Oefening: waar ben jij goed in? (2)
Schrijf voor jezelf vijf vaardigheden op waarvan je zelf vindt dat je er goed in bent.
Stel jezelf daarna de vraag wie en wat ervoor gezorgd hebben dat je er zo goed in bent geworden. Kijk hierbij vooral naar wat je helemaal in het begin bij het verwerven van deze vaardigheid heeft geholpen.

Is het mogelijk dat je uit deze oefening kunt concluderen dat het ontwikkelen van veel van je vaardigheden een verhaal is waarin andere mensen een rol hebben gespeeld? Hebben ze je aangemoedigd omdat ze je talent zagen? Hebben ze je uitgedaagd omdat ze vonden dat jij geen talent had en dat jij het tegendeel wilde bewijzen? Vaak verloopt het zo.

De cognitieve ontwikkelingspsycholoog Feuerstein was een leerling van Piaget. Hij leerde ongelooflijk veel van zijn leermeester, maar kende ook vanuit de praktijk de hiaten in zijn theorie. (Te) eenvoudig voorgesteld zegt Piaget:

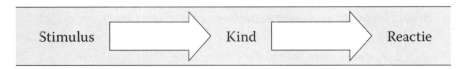

Met dit schema wordt bedoeld: geef een kind de nodige stimuli en als het erop reageert, zal het daaruit leren. Dit ervaringsgerichte werken wordt ook weleens direct leren genoemd.

Mensen leren veel vanuit het directe leren. We hebben allemaal wel voorbeelden van vaardigheden die we hebben verworven 'vanuit onszelf'. Gelukkig hebben we niet steeds iemand anders nodig om iets te leren.

Toch gaat dit schema niet altijd en voor iedereen op. Als dat wel het geval zou zijn, zouden alle straatkinderen in de grote wereldsteden wel erg ontwikkeld moeten zijn, want de prikkels die ze dagelijks in die steden op straat krijgen, kan niemand in een gezin, kinderdagverblijf of school aan kinderen geven. Het tegendeel is echter waar. Meestal hebben deze kinderen vanuit ons standpunt gezien mentale, sociale en vaak ook psychomotorische problemen.

Ook de kinderen in onze contreien met wat minder mogelijkheden, moeten tot hun schade en schande ondervinden dat het schema van Piaget een te eenvoudige voorstelling van leren is. Er ontbreken immers twee elementen.

Wanneer een collega thuis werkte, wat als leraar vaak het geval was, maakte hij na het ontbijt een thermoskan koffie en trok zich terug in zijn werkkamer. Zijn vrouw zag hem pas weer bij de volgende maaltijd. Nadat zijn eerste kleinkind was geboren, voor wie zijn vrouw in hun huis enkele dagen zorgde, merkte hij op zekere dag iets op waarvan hij echt schrok.

Terwijl hij in de keuken stond en zich uit de thermoskan een kop koffie inschonk, bedacht hij opeens dat hij dat vroeger niet deed. Toen nam hij de thermoskan mee naar zijn kamer. Hij dacht er verder over na en moest toegeven dat die eerste kleinzoon zijn jarenlange gewoonte had doen veranderen. Door de thermoskan in de keuken te laten staan, moest hij elke keer door de woonkamer waar vrouw en kleinkind zich bevonden en vermaakte hij zich telkens een paar minuten met hen. 'Kleine duivel!' dacht hij over zijn kleinzoon en hij had geen behoefte om het warme gevoel dat in hem opkwam te onderdrukken.

In de eerste plaats is er het element van reflectie. Iedereen, jong en oud, stelt dagelijks meer onbewuste dan bewuste handelingen. We denken niet na over ons handelen wanneer we opstaan, tanden poetsen, onze jas aandoen, de auto starten... Veel routine gebeurt vanuit gewoonte. Gelukkig! Als we over al deze daden steeds moesten nadenken, zouden we geen leven hebben. Anderzijds, door er onbewust van te zijn, kun je er ook niets mee doen. Door er zich bewust van te worden, kon opa toegeven dat hij het best leuk vond om vrouw en kleinkind samen bezig te zien en ging hij bewust een pauzemoment inbouwen, waardoor hij wat meer tijd met hen kon doorbrengen.

Er is geen leren zonder reflecteren.

Dat laatste, reflecteren, mogen we echter niet van kinderen verwachten. Ook dat is een deel van het derde dieper liggende doel: het hier en nu overstijgen, verbanden leggen en conclusies trekken.

In de tweede plaats hebben kinderen volwassenen nodig om deze innerlijke behoefte te ontwikkelen. Je innerlijke behoefte is het hebben van succeservaringen. Wanneer je voelt dat iets lukt, heb je al vlug zin om op zoek te gaan naar een nieuwe uitdaging binnen hetzelfde thema.

De ontwikkeling van amateur tot professional is een doelgericht gebeuren. Een jongen kan aanleg hebben voor voetballen, maar zal alleen een goede voetballer worden wanneer hij van een trainer de kneepjes van het vak leert en veel oefenkansen krijgt.

We hebben heel veel goede muzikanten. Dikwijls begint hun verhaal thuis, op school, bij de jeugdbeweging of in de vriendenkring. Toen ze de ambitie hadden om zich verder te ontwikkelen, zochten ze een muziekleraar op. Die leerde ze het klappen van de zweep en gaf ze veel oefenkansen.

We kunnen zulke voorbeelden op alle mogelijke terreinen geven. Als je echt goed wilt worden in iets, heb je mensen nodig die je verder kunnen brengen.

Wie goed wil worden in het ontwikkelen van zijn eigen mogelijkheden, heeft mensen nodig die hem daarbij willen helpen!

Het schema van Piaget heeft dus in veel situaties wat extra's nodig. Feuerstein (1993b) maakte er dit van:

Feuerstein plaatst de mens, de ouder, tussen de prikkel die naar het kind komt en het kind. Daardoor geeft hij aan dat de ouder als opdracht heeft om het kind bewust te maken van het feit dat er een prikkel in de omgeving is waarmee het iets kan doen. Door de ouder eveneens te plaatsen tussen het kind en de reactie, geeft Feuerstein de verantwoordelijkheid aan de ouder om ervoor te zorgen dat het kind ook daadwerkelijk iets doet met die prikkel.

Die mens hoeft niet noodzakelijk een ouder te zijn. Ook andere kinderen kunnen die rol vervullen. Veel van wat kinderen leren, leren ze van leeftijdsgenoten, leren ze van elkaar.

In het kinderdagverblijf kijkt de leidster samen met de peuters naar het kinderprogramma Tik Tak. *Dit programma stimuleert onder andere sterk het presymbolische denken en de overgang naar het symbolische denken, waardoor kinderen namen leren geven aan voorwerpen. De prikkel is het programma: (1) De leidster zorgt ervoor dat de peuters samen kijken. (2) De reactie kan zijn dat de peuters samen naar het woord zoeken van het dier of voorwerp dat in stukjes verschijnt en op het einde een geheel vormt. Ze zorgt ervoor dat alle kinderen het woord minstens duidelijk hebben gehoord en zegt het zelf nog eens duidelijk hoorbaar voor iedereen. Als de leidster daar niet voor zorgt, zitten er zeker peuters gewoon voor zich uit te staren en is dit moment zeker geen ontwikkelingsmoment.*

In Deel IV bespreken we de zone van de naaste ontwikkeling (het concept van Vygotsky). In het kort wordt hiermee bedoeld dat wanneer kinderen steeds dingen doen die ze eigenlijk al kunnen, ze daarvan niets leren, ze ontwikkelen zich niet, ze vallen stil. Maar als ze voortdurend overvraagd worden, falen ze keer op keer, krijgen een negatief zelfbeeld en vallen ook stil. De kunst van het opvoeden ligt in het vinden van de zone van de naaste ontwikkeling: de actie die het kind nog net niet alleen aankan, maar met een beetje hulp wel. Dan gaat het kind openstaan voor uitdagingen en bewaart het zijn 'ontwikkelingsgoesting'.

Er zijn dus twee redenen waarom kinderen ouders nodig hebben om zich te ontwikkelen:

1. om ervoor te zorgen dat de ontwikkelingsprikkels die zich aandienen worden opgepakt;
2. om ervoor te zorgen dat er ook wordt gereflecteerd.

Dat klinkt misschien ingewikkeld, maar dat is niet het geval in het dagelijkse handelen. In het voorbeeld van het kinderdagverblijf gaven we ook die twee redenen aan.

Theoretisch komt het er dus op neer dat de ouder zich plaatst in de actie van het kind. Ze geeft mede vorm aan de actie. Ze intervenieert. In de Nederlandse taal kreeg die ouder een nieuwe naam: de mediator.

Maar alleen maar interveniëren in het ontwikkelingsproces van het kind is geen garantie voor een goed ontwikkelingsmoment. Daarvoor is meer nodig. De wijze waarop dat gebeurt, is van cruciaal belang. Als de ouder door haar interventie het kind weghaalt van zijn ontwikkelingsbehoefte, dan zal het resultaat eerder negatief dan positief zijn.

Mama wil haar kind de kleuren leren en gebruikt daarvoor de blokkendoos, omdat de blokken de verschillende hoofdkleuren hebben. Het zien van de blokkendoos verheugt het kind. Het begint onmiddellijk een toren te bouwen. Mama onderbreekt telkens het proces met vragen over de kleur, benoemt zelf de kleur, verplicht het kind om in de kamer nog voorwerpen met die kleur te zoeken. Al gauw is het kind het beu. Het wil bouwen, geen gezeur, en begint vervelend met de blokken te gooien. Mama raakt gefrustreerd en boos...

Gelukkig gaat het meestal beter en kiezen ouders ervoor om te vertrekken vanuit de bezigheden van hun kind. Een goede raad is daarom: pak het kind zijn activiteit niet af, maar vergroot de waarde ervan!

Al het voorgaande dient om duidelijk te maken hoe belangrijk ouders zijn voor de ontwikkeling van hun kind. Vooral de interactie, de wederkerige interactie, zorgt voor sterke ontwikkelings-momenten. Maar dan moet die interactie wel kwaliteitsvol zijn. Op de vraag wat we kunnen doen om de dieper liggende doelen te bereiken, is het antwoord dus: een kwaliteitsvolle interactie aan-bieden. En daarmee ligt de volgende vraag op ons bord.

Wat zijn de kenmerken van een kwaliteitsvolle interactie?

Feuerstein (1993b) was de eerste die probeerde de kenmerken van een kwaliteitsvolle interactie te definiëren. Vanuit de basis die hij heeft gelegd, hebben verschillende van zijn medewerkers (onder wie Haywood, Greenberg, Tzuriel en Klein) en trainers (waaron-der de auteurs van dit boek) onderzoek gedaan en passages her-schreven. Wat we hieronder aanbieden is een synthese van al dat werk, waarbij wij voor ogen houden dat interactie ons moet hel-pen om de dieper liggende doelen te bereiken. Ook zullen we blij-ven benadrukken dat een kwaliteitsvolle interactie steeds weder-kerigheid moet tonen.

En we willen er nu al voor waarschuwen dat je bij het lezen van de kenmerken van een kwaliteitsvolle interactie het gevoel kan bekruipen dat we open deuren intrappen. We vinden dat geen probleem, want willen je graag uitdagen. Veel mensen weten wat de basis is voor een goede opvoeding. Nooit zijn er meer boeken over opvoeding verschenen als in onze tijd. Nooit eerder werd er meer gesproken over het problematische van opvoeden. Hebben we misschien in onze 'opvoedingsontwikkeling' de essentie uit het oog verloren? Dat is een open vraag, die voor alle ouders de uitdaging inhoudt om dat voor zichzelf te onderzoeken.

We behandelen hierna vijf belangrijke aspecten van een kwaliteitsvolle interactie:

- Focussen
- Betekenis verlenen
- Uitbreiden
- Zich bekwaam voelen
- Gedrag regelen

Focussen

Papa geeft Helena (20 maanden) te eten. Ze lust graag vlees. Wanneer ze ziet dat papa een hapje zonder vlees op haar lepel legt, zegt ze 'vlee' en wijst met haar vinger naar het vlees dat ze ook op die lepel wil. 'O, jij wilt graag vlees bij je hapje?' vraagt papa, waarop Helena kort en krachtig 'ja' zegt.

Diezelfde Helena zit op de arm van opa. Samen staan ze voor foto's van haar broer en zus, en papa en mama. Opa vraagt aan Helena om telkens de persoon aan te wijzen die hij noemt. Ze doet het foutloos. Na dat een paar keer gedaan te hebben, vraagt opa: 'En waar is oma?' Zij staat er niet bij. Helena screent duidelijk alle foto's, vindt geen oma, kijkt dan in de woonkamer en ziet oma daar een boek lezen. Met een stralende glimlach wijst ze naar oma.

Deze twee voorbeelden geven aan hoe kinderen volwassenen kunnen richten naar datgene wat ze onder de aandacht willen brengen en hoe, omgekeerd, volwassenen dat ook kunnen met kinderen. Het betreft hier het richten van aandacht. Dat is een complexe handeling. Niet alleen moet daarbij de aandacht worden gericht, maar ook moet dat een volgehouden aandacht zijn voor zover het proces dat nodig heeft.

In een supermarkt spaghetti kopen, vraagt aandacht. Van de meeste merken lijken de spaghetti- en macaroniverpakkingen immers sterk op elkaar. Vaak is de grootte en de kleur hetzelfde en is het de tekst die duidelijk moet maken waarover het gaat. Wil je met spaghetti thuiskomen en niet met macaroni, dan is het focussen geblazen!

Wanneer datgene wat onder de aandacht komt complex is, is het ook nodig om ervoor te zorgen dat alles onder de aandacht is geweest. Het kind of de volwassene zal, met andere woorden, een strategie gebruiken om te bewerkstelligen dat alles in beeld komt.

- *Het bekende spelletje 'Zoek de zeven verschillen' vraagt dit strategisch handelen. De eerste verschillen worden bijna als vanzelf gevonden. De laatste zijn echter moeilijker te vinden. Je komt ze niet 'toevallig' tegen, wat bij de eerste wel het geval is. Nu zal het kind het blad systematisch moeten verkennen, tekening na tekening, van links naar rechts en van boven naar beneden.*
- *Bij het oversteken leren de kinderen eerst naar links te kijken en dan naar rechts. Wanneer de weg vrij is, mogen ze oversteken terwijl ze dezelfde handeling nog eens herhalen.*

Focusing is een poging van ouder of kind om de aandacht van de ander te richten op iets of iemand in zijn omgeving met de bedoeling met dat iets of iemand in interactie te gaan. Dat laatste is een belangrijk aspect van focusing: het heeft voor degene die focust een doel.

Gerben (14 maanden) zit op papa's schoot. Ze kijken samen in een boek. Gerben wil vlug door het boekje bladeren. Hij heeft geen zin in verhaaltjes, maar gaat steeds op zoek naar het volgende plaatje. Dat is best frustrerend voor papa, die graag wil stilstaan bij de hond op de tekening, bij het blaffen van de hond, bij het hondenhok...

Wil er sprake zijn van focusing, dan moet je aan een aantal voorwaarden voldoen:

- De boodschap moet voor de ander duidelijk zijn. Dit betekent een communicatie waarbij de verbale en non-verbale elementen dezelfde boodschap geven.

  Bas (18 maanden) gaat in bad. Wanneer het tijd is om zijn gezicht te wassen, zegt mama: 'Ogen goed dichthouden, zodat er geen zeep in komt.' Terwijl ze dit zegt, richt ze zich tot Bas en sluit ze zelf ook haar ogen om te laten zien hoe het moet.

- Elk deel van de opdracht moet duidelijk zijn. Het kind heeft behoefte aan een overzicht van de gehele opdracht, maar ook aan de plaats van elk onderdeel binnen de opdracht.

  Joran (2 jaar) helpt oma erg graag bij alles wat ze doet. Vooral het bereiden van de maaltijd is een hele belevenis. Oma zet hem naast haar in de keuken op een keukentrapje, waardoor hij alle activiteiten met haar kan delen. Oma laat de aardappelen zien: 'Kijk, Joran, lekkere aardappeltjes! Voel eens! Gaan we die zo opeten?' Samen zien ze de aarde die er nog aan kleeft en ontdekt Joran dat de aardappel hard en koud is. Eerst schilt oma de aardappelen. Daarna mag hij ze wassen en met een plons in de pan met water kieperen. Ook de prei moet eerst worden gewassen en daarna kan hij die mee helpen snijden...

Dankzij focusing leert het kind om preciezer waar te nemen, om gezichts- en lichaamstaal van de ouders te interpreteren, om te luisteren naar de stemming die door taal wordt uitgedrukt. Dat is erg belangrijk voor de ontwikkeling van zijn sociale vaardigheden. De modelfunctie van de ouders beïnvloedt daarbij sterk het latere gedrag van het kind.

Oma strijkt terwijl Herman (11 weken) in zijn bedje in de woonkamer onrustig ligt te kreunen. Hij wil maar niet in slaap vallen, terwijl het eigenlijk het moment van zijn dutje is. Oma zingt zachtjes een paar wiegeliedjes waarvan ze weet dat Herman er rustig van wordt. Het wordt vlug stil. Wanneer oma al zingend even over de rand van het bedje kijkt, merkt ze dat Herman met wijd open oogjes ligt te luisteren. Er komt vrede in hem...

Herman ontdekt in bovenstaand voorbeeld de stem van oma als een rustgevend element. De kans is groot dat hij vrij vlug aan deze stem de connotatie 'rust' zal verbinden, hetgeen oma de mogelijkheid geeft om dit middel regelmatig te gebruiken. Door een goede focusing heeft Herman niet alleen zijn onrust onder controle gekregen, maar ook heeft hij een stap gezet in het preciezer en nauwkeuriger leren waarnemen.

Elke interactiekwaliteit gaat gepaard met valkuilen. De belangrijkste bij focusing is dat de ouder de aandacht trekt van het kind, maar dat het kind op zijn beurt geen wederkerigheid toont, en omgekeerd. Als er dan verder wordt gegaan, vindt er toch nog geen kwaliteitsvolle interactie plaats.

- *Liesbeth maakt een prachtige tekening terwijl mama de krant leest. Als de tekening af is, toont Liesbeth ze vol trots. Mama, intensief bezig met een boeiend artikel, kijkt nauwelijks op, murmelt iets van: 'Maak ook nog maar een mooie voor papa', en verdwijnt weer achter haar krant. Liesbeth druipt af en begint aan een volgende tekening.*
- *De kinderverzorgster vertelt een verhaal met vier peuters rondom haar en eentje op haar schoot. Twee peuters zijn er helemaal niet*

bij betrokken. De verzorgster vertelt verder voor de andere drie, terwijl die twee even later opstaan en weggaan...

Een andere valkuil is dat kinderen die extra behoefte hebben aan focusing, om welke reden dan ook, juist heel gauw minder focusing krijgen dan kinderen die zich gemakkelijk (laten) richten. De oorzaak hiervoor is begrijpelijk. De ouder focust het kind, maar dat geeft weinig tot geen wederkerigheid. Ze heeft weinig tijd en zal vlug geneigd zijn om zelf in te vullen wat ze van het kind verwacht. Daardoor leert ze het kind dat, wanneer het maar lang genoeg wacht, de ouder de dingen wel van hem overneemt.

Geike (3 jaar) geeft bij het puzzelen vlug op. Ze zoekt niet gericht en houdt geen rekening met elementen als kleur en vorm. Daardoor komen de stukken niet op de juiste plaats terecht. De kleuterleidster wil Geike helpen. Ze gaat bij haar zitten en geeft opmerkingen als: 'Kijk maar goed!' en 'Welk stukje denk je dat hier moet komen?' Dat helpt allemaal niet. Omdat andere kinderen roepen, legt de leidster zelf vlug een paar stukken en gaat naar een volgend kind.

Tips
- Richt de aandacht van het kind op hetgeen het kan horen, zien, proeven, ruiken en voelen. Of maak zaken duidelijker. Het bewust gebruiken (= focussen) van alle zintuigen is op jonge leeftijd heel belangrijk, omdat ze zorgen voor het optimaal waarnemen van de omgeving. Dus: vertel, beschrijf, raak aan, ruik samen, voel... Zorg ervoor dat je kind de kans krijgt om alles zo goed mogelijk zintuiglijk waar te nemen.
- Speel in op de interesses van je kind. Jonge kinderen geven je meestal aan waarmee ze bezig zijn, wat hen hier en nu boeit. Sluit aan bij je kind wanneer het dat doet.

Daan (18 maanden) scheurt bladen uit een tijdschrift in kleine stukjes. Hij is er zeer betrokken mee bezig, vergeet tijd en ruimte. Plots merkt hij oma op. Hij scheurt een stuk van een blad en reikt het haar aan. Oma gaat hier erop in. 'Dank je wel, Daan!' Dit is voldoende voor Daan om nog een stukje te scheuren en het weer te overhandigen. Oma legt de stukjes bij elkaar alsof het puzzelstukjes zijn. Daan kijkt vol verbazing toe.

- Plaats jezelf op ooghoogte. Dat helpt om goed (oog)contact te krijgen. Greenspan (2002) spreekt ook van *'floor time'*, waarbij hij zegt dat samen op de grond spelen een goede basis is voor een goed contact.

- Richt je kind op de elementen en de mensen in de omgeving. Geef aandacht aan belangrijke criteria zoals kleur, aantal, grootte, belang, waarde enzovoort. Duid op karakteristieke, elementaire en specifieke kenmerken.

    'Neem je je jas? Het is die blauwe, met die grote knopen.'
    'Hé, kijk die mooie haas daar in de etalage. Die heeft lange oren! En een mand op zijn rug voor de paaseieren!'

- Leer je kind 'lezen'. Tracht te weten te komen waartoe het wordt aangetrokken, waar het weinig interesse voor heeft, waar het afhaakt. Speel op al die elementen in.

- Wees je bewust van de manier waarop je de aandacht van je kind trekt. Lukt jouw manier van doen, of moet je je focusing aanpassen? Heb je verschillende manieren om je kind te focussen? Zijn er dingen in je eigen houding die je zelf kunt veranderen en waardoor je kind dan beter kan focussen?

    Het valt mama op dat Kees minder alert reageert wanneer zij tegen hem spreekt zonder oogcontact. Dat gebeurt wel vaker in de keuken of in de badkamer. Ze spreekt tegen hem terwijl ze aardappelen schilt, of de handdoeken in de kast legt. Wanneer ze zich naar Kees toewendt, merkt ze dat hij rustig zit te spelen, maar geen aandacht heeft voor haar gepraat. Wanneer ze erop let en de volgende keer zich naar haar zoontje toewendt, merkt ze dat hij ook oogcontact zoekt.

- Als je tot je kind spreekt en je wilt dat het kijkt, dat het iets waarneemt, dan is het goed om je er eerst van te vergewissen dat je de aandacht hebt. Is dat niet het geval, dan zal je boodschap niet overkomen. Zorg er dus eerst voor dat die aandacht er is.
- Speel advocaat van de duivel. Peuters en kleuters mogen gerust worden uitgedaagd. Als je ze dingen zegt die niet kunnen of als je zaken verkeerd benoemt, is het goed dat ze leren reageren. Dat maakt hen alert op de boodschap. Op die wijze leren ze focussen.

  Tijdens een wandeling wordt er gezongen: 'In het bos daar staat een huisje. Keek eens door het vensterraam. Kwam een haasje aangelopen, klopte op de deur.' Gerd (2,5 jaar) vindt het geweldig en vraagt telkens opnieuw om het nog eens te zingen. Bij de zoveelste keer zingt papa uit volle borst: 'Kwam een walvis aangezwommen, klopte op de deur.' Gerd reageert niet onmiddellijk, maar voelt wel dat er iets niet klopt. Dan richt hij zich naar papa en roept: 'Dat kan niet! Dat is niet juist!'

- Stel jezelf regelmatig de volgende vragen:
  - Gaat mijn kind met mij mee in de actie?
  - Ben ik voldoende alert op de signalen die mijn kind me aanbiedt?
  - Ga ik regelmatig in op de signalen die mijn kind me aanbiedt?
  - Laat ik mijn kind alle zintuigen gebruiken?
  - Blijf ik tijdens een interactie alert op de wederkerigheid met betrekking tot het aandacht geven?

Betekenis verlenen

Sarah (20 maanden) gebruikt al een tijdje het woord 'moma', als ze oma bedoelt en gebruikt dat ook bewust en op de juiste ogenblikken. Voor opa, die ze veel minder ziet, heeft ze nog geen naam. Tot gisteren. Opa komt de woonkamer binnen en Sarah zegt iets dat lijkt op 'Bertje', de naam waarmee oma opa steeds aanspreekt.

Wanneer oma vraagt: 'Wie is dat?', antwoordt Sarah heel dui-
delijk: 'Bertje!' Een nieuw tijdperk is ingetreden. Een stralende
opa smelt weg. Zijn kleindochter heeft hem een naam gegeven. Hij
bestaat nu echt voor haar!

We spreken van betekenis verlenen wanneer je je waardering uit-
drukt ten aanzien van een voorwerp, persoon of gebeurtenis. Op
deze wijze laat je de prikkel uitstijgen boven de andere prikkels
in de omgeving. Door haar opa een naam te geven, wordt opa
iets persoonlijks van Sarah. Doordat opa dit ook zo aanvoelt en
er daardoor intense gevoelens bij hem loskomen (= wederkerigheid), heeft de naam nog veel meer betekenis dan ooit tevoren.

De dingen die ons omringen, met uitzondering van de dingen die voorzien in onze basisbehoeften, hebben geen of weinig
betekenis voor kinderen, tenzij iemand in hun omgeving aan die
dingen betekenis verleent. Het is immers niet vanzelfsprekend
dat kinderen stoppen en verwonderd zijn. Het zijn de ouders die
het kind leren om aan de elementen van de wereld betekenis te
verlenen.

Als ouders regelmatig betekenis verlenen aan datgene waarmee zij en hun kind bezig zijn, vertellen ze het kind tegelijkertijd
dat datgene wat ze doen, waardevol is. Maar betekenis verlenen
kan ook van het kind uitgaan. Het kind kan ook aangeven wat
het waardevol vindt en wat het op dat ogenblik het belangrijkste
vindt. Er zijn verschillende manieren om betekenis te verlenen:
• Er is het enthousiasme waarmee iemand iets doet of over iets
spreekt. Wanneer ouders of kinderen zich betrokken tonen ten
aanzien van iets of iemand, brengen ze over dat ze dit de moeite
waard vinden en dat ze ernaar uitkijken om er iets mee te doen.
De andere partij binnen de interactie zal dan vlugger geneigd zijn
om zich te engageren. Dat enthousiasme kan zowel op verbale als
non-verbale wijze worden uitgedrukt: het gezicht spreekt boek-
delen, de stem klinkt enthousiast.

Loremieke heeft geen zin om te eten. Wanneer mama met een volle lepel naar haar mond komt, slaat ze ernaar met haar hand. Zo zal het niet werken. Mama ondersteunt haar actie met 'mmmm!' en opent haar mond, waarna Loremieke haar mond ook opent. Als ze het hapje heeft genomen, zegt mama 'Lekker!'. Na een paar happen geeft Loremieke met een 'mmmmm!' zelf aan wanneer ze klaar is voor de volgende hap...

- Het gebruik van beschrijvende woorden is eveneens een dankbare manier om betekenis over te brengen:

  'Oooh, van wie is die dikke buik?'
  'Mmm, lekkere melk.'
  'Wat een hoge, rechte toren, met zo veel kleuren.'
  'Zo'n mooie rode fiets met dikke banden.'

- Door dingen bij hun naam te noemen, krijgen ze ook betekenis. Voorwerpen, plaatsen, personen (en hun functies) en gebeurtenissen bestaan als ze een naam hebben:

  'Nine eleven.'
  'Oom Freek.'
  'De keuken.'
  'De brooddoos.'

  Hoe directer de taal, hoe duidelijker dat is voor alle betrokken partijen en hoe groter de kans dat iedereen weet wat wordt bedoeld. Een van de consequenties van deze interactiekwaliteit is dat je kinderen het beste zo veel mogelijk met hun naam kunt aanspreken.

  Ook bij het geven van opdrachten kunnen ouders erop toezien dat ze de juiste woorden gebruiken.

  'Zet die doos met kleurpotloden mooi in het midden van de tafel', is beter dan 'Zet die doos maar hier.'

  'Geef me dat even', kun je beter vervangen door 'Geef me dat grote tekenblad even.'

- Ouders kunnen ook verklaren waarom ze bepaalde opdrachten, waarden, onder de aandacht van hun kind brengen. Het is een goede gewoonte te spreken in korte zinnen waarin zowel de bedoeling als de reden wordt aangegeven.

'Trek je jas aan (bedoeling), want buiten regent het (reden).'

'Kies kleuren die goed bij elkaar passen (bedoeling), dan wordt je tekening veel mooier (reden).'

'Eet je appel maar op (bedoeling), dan blijf je gezond (reden)!'

Het voordeel van deze zinnen is bovendien dat ze kenmerken benoemen die bij het onderwerp belangrijk zijn:

Kleuren die bij elkaar passen zorgen voor een mooie tekening.
Fruit is gezond.

Dit betekent dat de ouders uitleggen waarom dingen zijn zoals ze zijn. In dat opzicht is de volgende interactiekwaliteit (uitbreiden) ook zeer geschikt om betekenis te verlenen aan de dingen.

Betekenis verlenen ontwikkelt bij het kind de behoefte om zinvolle ervaringen op te doen. Een positieve opwinding daarbij zal deze behoefte vergroten. Door betekenis te verlenen, begeven de ouders zich op het terrein van waardeopvoeding. Ouders leren hun kind wat zij belangrijk vinden, welke hun waarden, normen, overtuigingen en verwachtingen zijn. Die passen volledig binnen de cultuur van ouder en kind (zie Deel I, hoofdstuk 2). Kleine kinderen leren die waarden van hun ouders kennen. Later, in de puberteit, zullen ze die weer ter discussie stellen, ermee gaan experimenteren, ze toetsen aan die van hun vrienden en er bij hun ouders kritisch op toezien. Dan is het belangrijk dat ze iets hebben om te toetsen, dat ze een goede basis hebben meegekregen van waarden, normen en overtuigingen.

Maar niet alleen voor de puberteit is deze interactiekwaliteit belangrijk. We leven in een wereld waarin mensen voortdurend keuzes maken. De wijze van vrijetijdsbesteding, de cursussen die mensen willen volgen, hun standpunt tegenover al dan niet gezonde voeding, welke kleren je aantrekt, welke vrienden je uitnodigt voor het volgende feestje... te veel om op te noemen. De vraag is daarbij: waarop baseer je je om de juiste keuze te maken? Om die vraag te kunnen beantwoorden, moet je weten welke waarden voor jou het belangrijkste zijn.

- *Is vrijetijdsbesteding bedoeld om tot rust komen of om eens goed uit je bol gaan?*
- *Door te kiezen voor warm eten op het werk en op school, krijg je rustiger avonden en meer tijd om met de kinderen nog iets te doen na school. Die keuze biedt echter minder garanties op gezonde voeding dan wanneer je ervoor kiest om elke dag zelf te koken, liefst met groenten uit eigen tuin.*
- *Is de avondcursus die je wilt volgen gericht op ontspanning of op het verbeteren van je kennis en vaardigheden met betrekking tot je job? Die keuze zal de aard van de cursus bepalen.*

Zorgen voor betekenis in de interactie werkt energetisch. Hoe meer betekenis iemand kan verlenen aan een activiteit, hoe meer energie hij ervoor zal vrijmaken. Dat geldt ook voor een jong kind.

Een paar kleinkinderen hebben oma al een mooie kribbel-krabbeltekening bezorgd toen ze nog kleuter waren. Oma heeft er telkens een stuk uitgeknipt en ingelijst en verspreid in het huis opgehangen. Van een aantal kleinkinderen heeft ze nog geen tekening. Wanneer ze aan het volgende kleinkind in de reeks vertelt dat alle neefjes en nichtjes al een tekening hebben gemaakt, ze de tekeningen laat zien en erbij zegt van wie welke tekening is, wil dat kleinkind ook graag een tekening voor oma te maken. Hij doet zijn uiterste best om er iets moois van te maken.

De belangrijkste valkuil voor ouders is een enthousiasme dat niet in relatie staat tot wat er gebeurt of tot het kind. De meeste mensen – ook jonge kinderen – kunnen geen hele dag overenthousiast bezig zijn. Ook hier zal het belangrijk zijn dat ouders goed selecteren en gaan voor wat echt belangrijk is. Voor sommige ouders ligt het probleem in de andere richting. Ze hebben het moeilijk om enthousiast te zijn – om welke reden dan ook – en ze vinden al gauw dat ze overdrijven. Voor hen is de regel dat de interactie pas zal aanslaan als ze dat gevoel van overdrijven hebben.

Als trainers van de school van Feuerstein bezochten we een aantal keren het centrum van onze leermeester in Jeruzalem. Het viel ons daar telkens op hoe het enthousiasme van de therapeuten afdroop. Vanuit onze eigen cultuur, en misschien ook vanwege de persoonlijkheden die we zelf zijn, vonden we dit aanvankelijk wel wat overdreven. Tot we zelf in ons werk met kinderen steeds duidelijker ons enthousiasme toonden, soms overdreven naar ons eigen gevoel, en merkten dat dat bij de kinderen aansloeg.

Tips

- Wanneer je iets verlangt van je kind, straal dan uit dat jij er veel waarde aan hecht. Verklaar je kind ook waarom dat voor jou belangrijk is.
- Deel het enthousiasme van je kind. Ouders begrijpen niet altijd waarom een kind zich over iets positief kan opwinden. Toch laat het kind blijken dat het de situatie zelf boeiend vindt. Dat geeft het aan door zijn enthousiasme. Deel dit met je kind.

Iris (20 maanden) zit op papa's schoot. Voor hen op de tafel staat een speelgoedgarage met drie poorten, waarachter telkens een autootje zit. Papa opent de eerste poort, haalt de auto eruit, laat hem via zijn arm, buik en been rijden naar het been en de buik van Iris, om met een lichte toets tegen haar kin te belanden. Daarbij zegt papa telkens 'boem-patat'. Iris proest het uit van het lachen. Wanneer papa, nadat hij dit spelletje ook met de andere auto's herhaalde, wil stoppen, geeft Iris aan dat ze het nog eens wil

doen, en nog eens, en nog... Papa weet niet wat ze er zo leuk aan
vindt, maar speelt het spel met veel enthousiasme mee.

* Benoem alles zo veel mogelijk met de juiste naam. Zo leert je kind niet alleen de naam kennen, maar door een woord in verschillende contexten telkens opnieuw te benoemen, krijgt het ook een steeds grotere vulling.

    Telkens wanneer Geoffrey erin slaagt om iets moeilijks te doen, krijgt hij een stevig 'bravo' van de oppasmoeder en zegt ze erbij: 'Ik ben heel trots op je.' Doordat het woord 'trots' telkens gebruikt wordt in situaties waar ook het stevige 'bravo' komt, begrijpt Geoffrey na een tijdje dat 'trots' iets goed is. Hij weet nog niet precies wat, maar de context leert hem het positieve van dat woord. Later zal hij vragen: 'Mama trots?', wanneer hij iets heeft gedaan dat naar zijn gevoel de moeite waard is, maar waar geen 'bravo' op komt.

* Toon je emotionele betrokkenheid. Het is voor een kind zeer moeilijk wanneer het van één persoon verschillende boodschappen ineens krijgt. Zorg ervoor dat je emotionele betrokkenheid authentiek overkomt.

    Een ouder zegt vrij toonloos tegen haar kind: 'Kom, we gaan naar oom Tim en tante Liesbeth. Dat zal leuk zijn. Je neef Wardje is daar ook. Dan kunnen jullie fijn spelen.' De boodschap is heel leuk, maar door het toonloze in de stem en het gebrek aan uitstraling in haar mimiek, is haar kind weerbarstig, wil het liever thuis verder blijven spelen en maakt het een scene vanjewelste.

* Toon je bewondering en verwondering voor de dingen die om je heen gebeuren. Het krachtigste leermiddel van een kind blijft immers het model dat zijn ouders hem voorhouden. Door zelf uiting te geven aan je enthousiasme (en afkeuring) voor wat er om je heen gebeurt, leert het kind betekenis te geven aan deze dingen.

* Vertel hardop wat je doet en waarom je iets (op een bepaalde wijze) doet. Door dit te doen wanneer je kind in de buurt is, leert het

ook weer betekenis te geven aan de dagelijkse dingen. Ouders die regelmatig betekenis verlenen, merken dat hun kleuters ook dat taalgebruik gaan hanteren.

In het fantasiespel van kleuters kunnen we dit opmerken. Er is een groot verschil tussen kleuters met betrekking tot betekenis verlenen, in de manier waarop ze hun verhaal binnen het spel doen. De ene kleuter zegt: 'De auto moet naar de garage' en laat de auto er dan ook naartoe rijden, terwijl een andere kleuter dezelfde handeling stelt, maar zegt: 'De auto moet naar de garage, want hij heeft een lekke band.'

- Stel jezelf regelmatig de volgende vragen:
  - Druk ik mijn enthousiasme uit voor wat ik echt belangrijk vind?
  - Hoe druk ik mijn enthousiasme uit?
  - Toon ik mijn gevoelens aan mijn kind?
  - Noem ik mijn kinderen bij hun naam?
  - Noem ik de dingen bij hun naam?
  - Merk ik een affectieve betrokkenheid van mijn kind ten aanzien van de activiteit?
  - Toon ik bewondering en verwondering voor de wereld om mij heen?
  - Verklaar ik voldoende waarom ik dingen doe? Waarom ik dingen vraag?

Uitbreiden

Lien (5 jaar) loopt na schooltijd trots als een pauw naar mama. In de auto opent ze haar rugzakje en haalt er een pakje uit. Mama kijkt vol bewondering naar een stapel kerstkaarten. De school had een schitterend idee uitgewerkt. De kleuters hadden een kerstkaart getekend, de school had ze allemaal laten drukken met de naam van het kind erop. De kerstkaarten worden nu tegen een schappelijke prijs aangeboden en de opbrengst is voor een goed doel. Dat alles weet Lien in eenvoudige woorden te vertellen. De kerstkaarten zijn erg mooi. Thuis overlegt mama met Lien wie een kerstkaart van haar moet krijgen. Ook vraagt mama of ze die kerstkaarten mag gebruiken voor andere mensen die Lien niet kent. Lien kan haar geluk niet op met de aardige bestelling die ze morgen mee naar school neemt.

Dit voorbeeld laat mooi zien hoe dingen voor kinderen met elkaar kunnen worden verbonden. Tijdens de kerstperiode kinderen een kaart laten tekenen, is haast vanzelfsprekend. Van die kaart een echte, gedrukte kerstkaart maken, overstijgt het tekenen. En een naam op de kaart verleent ze nog meer betekenis (zie p. 139 en verder over betekenis verlenen). Wanneer die kaarten dan ook nog verkocht worden, er geld mee wordt verdiend en dat geld gebruikt wordt voor een goed doel – dat de kinderen in de klas hopelijk ook uitvoerig bespreken – dan is het geen tekening meer, maar een project. Zoiets noemen we uitbreiden.

Er is sprake van uitbreiden wanneer het kind of de ouder tijdens de interactie verbanden legt tussen datgene waarmee ze nu bezig zijn en andere voorwerpen, personen, gebeurtenissen of ideeën. Dat doen ze door de hier-en-nu-activiteit te verbinden met andere ervaringen.

Uitbreiden kan op verschillende manieren:

- Het kind of de ouder kan verbanden leggen tussen personen, dingen en gebeurtenissen.

Kevin speelt in de zandbak met een grote vrachtwagen. Papa vraagt hem met welk speelgoed hij ervoor kan zorgen dat de vrachtwagen geladen wordt met zand.

Er rijdt een grijze auto de oprit op. Trui ziet hem en roept 'papa!'. Ze herkent de grijze kleur en misschien ook dat het een stationcar is. Mama zegt dat het papa niet is en wijst tegelijkertijd op de kleur van de wagen en op het feit dat papa nog op zijn werk is.

Martine vraagt welke dag het vandaag is. Papa zegt 'zaterdag', waarna Martine concludeert: 'Oh, dan eten we vandaag frietjes!'

In het gezin is het namelijk de gewoonte om op zaterdag frietjes te eten.

• Het kind of de ouder modelleert spontaan vergelijkingsgedrag.

Lotte kijkt graag in boekjes. Haar oudere zusje heeft verschillende boekjes met allemaal honden erin. Ze vergelijkt met Lotte de verschillende honden: grootte, kleur en dat ze allemaal 'woef, woef' doen.

• Het kind of de ouder duidt oorzaak-gevolgrelaties aan.

Marijke wil schilderen. Ze krijgt een groot T-shirt aan en kliedert er lustig op los. Ze maakt zich echter telkens kwaad wanneer de verf door elkaar loopt en de kleur dan verandert. Opa probeert dit uit te leggen aan de hand van een paar voorbeelden.

Kevin heeft zijn eigen soepbordje. Op de bodem staat een tekening van Winnie de Poeh. Mama zegt telkens wanneer zijn bordje leeg is: 'Flinke jongen! Kijk, je hebt je soep helemaal opgegeten en nu kun je Winnie zien!' Na een tijdje geeft Kevin zelf halverwege al aan dat hij het heeft begrepen. Als mama vraagt: 'Wie kun je zien als je soep op is?', krijgt ze als antwoord 'Poeh'.

• Het kind of de ouder positioneert een activiteit in de ruimte.

Bij een bezoek aan de dokter bespreekt de ouder waarom dokters een wachtkamer en een spreekkamer hebben.

Jordan (2,5 jaar) wil autobusje spelen. Hij sleept alle stoelen door de woonkamer, zet ze in twee mooie rijen en zet op elke stoel een beer of een pop. De linkerstoel vooraan houdt hij vrij. Wanneer grote broer vraagt waarom er geen beer op die stoel zit, antwoordt Jordan: 'Voor mij. Beer niet rijden!'

• Het kind of de ouder breidt de activiteit uit in de tijd.

Bij het bekijken van de doopfoto's van een jongere broer, pakt oma ook die van Thijs erbij. Thijs gelooft eerst zijn eigen ogen niet. Is hij zo klein geweest? Oma vertelt honderduit en haalt nog meer familiefoto's tevoorschijn...

Riet en Guus spelen 'vakantie'. Ze liggen op het tapijt te slapen. Opeens zegt Riet: 'Opstaan, Guus! We moeten croissants halen en

daarna gaan zonnen op het strand.' Dit waren activiteiten tijdens
de vorige vakantie in Frankrijk.

- Het kind of de ouder maakt gebruik van het geheugen.

    Edith (2 jaar) wil zich vermaken met een speeltje waarbij
ze bovenaan een bal in de opening moet laten vallen. Wanneer
ze dan op een hendel drukt, komt de bal er onderaan weer uit.
Gisteren bij het opruimen heeft mama de bal niet teruggevonden.
Ze vraagt aan Edith: 'De bal is weg. Heb jij hem verstopt?' Edith
kijkt naar mama, kijkt naar het speeltje en gaat dan naar de keu-
ken, waar ze een kastje opendoet. Daar ligt de bal. Die had ze daar
gisteren blijkbaar in gelegd terwijl ze met mama in de keuken was.

    De kinderverzorgster vraagt Bruno of hij weet waarom de soep
zo heet is...

Er is nog een manier waarop we over uitbreiden kunnen nadenken, met name 'horizontaal' of 'verticaal' uitbreiden.

- We kunnen horizontaal uitbreiden door te verwijzen naar vergelijkbare situaties of dingen.

    Wanneer je met je peuter kijkt in de kast met koffiekopjes, dan
is de kans groot dat er verschillende soorten kopjes staan. Ze heb-
ben allemaal iets gemeenschappelijks: we drinken er koffie uit.
Anderzijds kunnen vorm, kleur, aantal en grootte erg van elkaar
verschillen.

    Je kleuter zit in een fase waarin hij wil tellen. Je kunt de gek-
ste dingen in huis tellen: het aantal tafels, aantal ramen, deuren,
bedden...

    Piet heeft het moeilijk met de begrippen 'in', 'op' en 'onder'. Papa
is heel alert om die woorden telkens onder de aandacht te brengen
(= focussen) in zeer diverse situaties.

    Door horizontaal uit te breiden, leert het kind om iets wat het
heeft ontdekt in één bepaalde situatie, ook te herkennen in andere situaties. Zo krijgt de ervaring betere vulling, het begrip wordt
breder.

- We kunnen verticaal uitbreiden door te verwijzen naar andere voorwerpen, mensen of situaties.

In bovenstaande voorbeelden waarbij Riet en Guus 'vakantie' spelen of Jordan 'autobus', zijn de thema's waarmee het kind bezig is fysiek niet aanwezig. Het kind moet volop een beroep doen op zijn voorstellingsvermogen om het spel te kunnen waarmaken (zie ook ontwikkelingsstappen 4 en 5, op p. 68 en verder). Wanneer we echter wachten om kinderen deze uitbreiding te geven tot ze de leeftijd van die ontwikkelingsstappen hebben, zijn er veel kansen verloren gegaan.

Roosje (2 jaar) zit op oma's schoot. Samen kijken ze in een boekje met dieren. Roosje kan al een paar dierennamen zeggen en van sommige van wie ze de naam nog niet kent, doet ze het aangeleerde dierengeluid na. Wanneer ze bij de ezel komen, zegt ze 'i-a'. Oma vraagt waar een ezel in de wei loopt. Roosje wijst naar buiten. Dat klopt. In de wei verderop in de straat staat een ezel. 'Wie staat er bij de ezel in de wei?' vraagt oma. Er komt geen antwoord. Oma helpt Roosje: 'Het paard van boer Tom staat er ook.' 'Ieee!' zegt Roosje en gaat in het boekje op zoek naar de tekening van een paard. Ze weet dat die ook in het boek staat.

Uitbreiden is erg belangrijk voor de cognitieve ontwikkeling van het kind. Het hier en nu wordt overstegen. Het kind wordt geholpen om van een concreet denkniveau over te stappen naar een abstracter niveau. Waarover het denkt hoeft immers niet langer zichtbaar aanwezig te zijn. Het is belangrijk als ouders te geloven dat jonge kinderen dit kunnen, maar we zullen het ze moeten aanleren. Wat nooit wordt aangeleerd, zal moeilijk verworven worden.

Uitbreiden beantwoordt aan de ontwikkeling van de natuurlijke behoefte van kinderen. Ze willen de wereld ontdekken en maken daarom gebruik van al hun mogelijkheden om dit te doen. Die mogelijkheden worden door de ouders gestimuleerd.

Vergelijken, verbanden leggen, relaties leggen in tijd en ruimte en gebruikmaken van het geheugen, zijn denkvaardigheden die zich kunnen ontwikkelen vanaf de geboorte. Je moet niet wachten op de schoolleeftijd om het kind binnen die denkvaardigheden al uit te dagen. Dan is er al veel tijd verloren gegaan.

Uitbreiden is dus niet gekoppeld aan intelligentie, leeftijd, geslacht, cultuur, problematiek... In het dagelijkse leven van baby's, peuters en kleuters zijn er tientallen mogelijkheden om uit te breiden.

Maar er is meer. Door uitbreiding overstijgen kinderen de behoefte aan de onmiddellijke vervulling van hun wensen. Ze leren dat er achter alles meer zit dan het direct waarneembare en ze leren vragen stellen om vat te krijgen op dat onzichtbare. Zo prikkel je hun basisnieuwsgierigheid, die zo nodig is om hun eigen ontdekkingstocht voort te zetten.

Uitbreiden heeft ook een valkuil. Ouders breiden weleens uit tot op een niveau dat helemaal niet haalbaar is voor het kind. Dat geldt voor veel thema's.

Filip is een kleuter die regelmatig andere kleuters pijn doet. De kleuterjuf roept hem dan telkens en vraagt dan: 'Hoe denk jij dat dat andere kind zich voelt als jij het pijn doet?' Deze vraag kan Filip niet beantwoorden. Dat is normaal. Die vraag hoort duidelijk nog niet tot zijn ontwikkelingsniveau. Hij slaat zijn ogen dan telkens naar beneden en laat de storm aan zich voorbijwaaien. De juf vindt Filip een ongevoelig kind...

Tips

- De beste manier om te weten of de uitbreiding binnen het niveau van het kind ligt, is alert te zijn op de wederkerigheid van het kind. Dit geeft aan of het al dan niet kan volgen.
- Toon het kind nieuwe dingen. Zeg hoe en waarom dingen of zaken hetzelfde of verschillend zijn, waarom iets gebeurt,

waarom mensen gelukkig zijn of verdrietig. Verwijs naar heden en toekomst. Laat je kind de positieve kanten van het leven zien.

- Toon en benoem meer dan je kind hoort, ziet, proeft, voelt, ruikt; geef een verklaring en ontvang de reactie.

Op het menu staat rundergehakt met appelmoes. Opa vertelt dat er ook kalfsgehakt bestaat, waarop Lotte aangeeft dat ze dat liever lust. Maar grote broer lust toch nog het liefst van al worst. Daarop wordt verteld van welke dieren de verschillende vleeswaren komen. Over de appelmoes is er geen discussie: die zelfbereide van oma's appelen uit de tuin overtreft die uit de supermarkt!

Ga in op wat je kind zelf aan uitbreiding aanreikt. Breid dat verder uit door de hierboven vermelde mogelijkheden toe te passen.

Het is het dagelijkse tv-moment. De kleinste van de familie, nog een peuter, wordt gek wanneer Bumba verschijnt.

Oudere zus zegt: 'Ik zie liever Mega Mindy.'

Papa wil weten waarom.

'Dat is spannend!'

'Hou jij van spannende films?"

'Ja, dan kruip ik altijd onder de tafel van schrik.'

'Kun je dan nog iets zien?'

'Nee, maar ik luister en als de muziek zachter wordt, kijk ik weer.'

- Stel jezelf regelmatig de volgende vragen:
  - Mag mijn kind meer doen dan alleen kijken en luisteren?
  - Vertel ik mijn kind meer dan het direct waarneembare?
  - Verklaar ik wat er gebeurt?
  - Stimuleer ik mijn kind om te vergelijken? Doe ik dat doelgericht?
  - Laat ik mijn kind verbanden leggen en verklaringen zoeken?
  - Prikkel ik mijn kind op een abstract niveau?
  - Roep ik kennis uit het geheugen op bij mijn kind?

Zich bekwaam voelen

Kim (6 maanden) ligt in de box en kijkt naar de mobile die boven haar hoofd hangt. Mama zit erbij en kijkt naar haar. Af en toe zwaait Kim met haar armen en opeens raakt ze bij toeval de mobile. Mama roept: 'Bravo! Je laat de popjes dansen!' Kim kijkt gespannen toe. Mama moedigt haar aan om het nog eens te doen en helpt haar door haar arm vast te pakken en tegen de mobile te slaan. Na een paar keer slaat Kim zelf gericht naar de mobile. Ze kraait het uit van de pret.

Gevoelens van bekwaamheid zijn ontzettend belangrijk voor een kind opdat het zijn ontwikkelingskansen volledig zal benutten. Het is het gevoel dat je ervaart wanneer je weet dat je iets aankunt voordat je eraan begint. Zonder dat gevoel is de kans groot dat je die situatie vermijdt (Greenberg, 1999). Dat geldt ook voor ontwikkelingssituaties. Een kind dat het gevoel heeft dat het de activiteit aankan, begint eraan; in het andere geval zal het vermijdingsstrategieën ontwikkelen om er zelf zo weinig mogelijk energie in te hoeven steken. Door gevoelens van bekwaamheid duidelijk te stellen als absolute voorwaarde tot ontwikkeling en leren, wordt het een sleutelthema in het werk van ouders. Zij zullen ervoor zorgen dat het kind die gevoelens heeft en houdt.

Als ouders hun geloof uitdrukken in de mogelijkheden van hun kind, hun kind aanmoedigen om zijn activiteit succesvol af te ronden en daarbij vertellen waarom het allemaal goed is, dan neemt de kans op succes toe. Als een kind trots is op zijn eigen succeservaringen en hierin bevestigd wordt door zijn ouders, dan is de kans groot dat het kind de volgende keer een soortgelijke activiteit ook succesvol afsluit. Voor ouders lijkt dit zeer vanzelfsprekend, maar in ons werk zien we echter dat dit niet zo vanzelfsprekend is als algemeen wordt aangenomen. Sterker nog, onze cultuur verdraagt niet goed dat mensen trots zijn op hun eigen prestaties. Het wordt al vlug geïnterpreteerd als snoeverij, als een 'dikke nek'. Onze cultuur vraagt mensen eerder om nederig te zijn en dat gaat in tegen deze interactiekwaliteit.

Oefening: Waar ben jij goed in? (3)

De volgende oefening doen we graag op onze cursus (misschien moet je het ook even voor jezelf doen...).

De cursisten krijgen 1 minuut de tijd om zo veel mogelijk woorden op te schrijven die het antwoord zijn op de vraag: waarin ben jij goed? Ze moeten dus over zichzelf zo veel mogelijk kwaliteiten noteren. Na die minuut vragen we hoeveel woorden ze hebben opgeschreven. De meeste cursisten hebben er drie, vier of vijf op papier gezet.

Daarna vragen we om aan een persoon te denken die hen nauw aan het hart ligt. Dan krijgen ze weer 1 minuut om zo veel mogelijk zaken op te schrijven waarin die persoon goed is. Vervolgens stellen we de vraag: 'Wie heeft nu meer woorden opgeschreven dan in de eerste oefening, wie evenveel, wie minder?'

Tientallen keren deden we deze oefening en telkens schrijft de grootste groep aanzienlijk meer woorden op voor die andere persoon. Cursisten met evenveel woorden of minder, zijn grote uitzonderingen.

Wanneer we achteraf vragen hoe dat komt, is het meest voorkomende antwoord dat je de ander beter kent dan jezelf. Maar als we doorvragen, komt ook aan de orde dat het niet past om te positief te zijn over jezelf. Sommige cursisten vinden het zelfs gevaarlijk te tevreden te zijn over zichzelf...

Er is een groot verschil tussen enerzijds bekwaamheid en anderzijds je bekwaam voelen. Het kind presteert niet steeds in de mate waarin zijn ouders in hem geloven. In de ogen van veel ouders zijn hun kinderen onderpresteerders. Dat kan waar zijn, maar het kunnen is meestal niet waar de schoen wringt, wel het geloof in eigen kunnen.

Wanneer je in een leraarskamer van een doorsneebasisschool komt, is een veelgemaakte opmerking: 'Niet dat die leerling het niet kan hoor! Maar het komt er niet uit.'

Zich bekwaam voelen is complex, je moet je immers bekwaam voelen op alle ontwikkelingsgebieden. Je kunt sociaal zeer vaardig zijn, maar een klungel op de computer. Je kunt jezelf best wel intelligent vinden, maar je voelt je fysiek een oude knar. Het grootste probleem daarbij is dat je je dan meestal fixeert op datgene waarin je minder goed bent en dat je je eigen kwaliteiten uit het oog verliest. Dat is ook zo voor kinderen. Velen kennen de taal van het falen al erg goed. 'Ik kan dat niet', 'Dat is moeilijk', 'Jij moet me daarbij helpen', zijn zinnen die kinderen vlug kennen. Het is verbazingwekkend hoeveel kinderen al gekwetst zijn in hun geloof in zichzelf. Wat betekent dat nu voor het jonge kind? Dat betekent dat faalangst en een negatief zelfbeeld op de loer liggen!

We merkten hierboven al op dat van tevoren aangeven dat je een opdracht ziet zitten en op het einde van jezelf zeggen dat je het goed hebt gedaan, niet echt passen binnen onze cultuur. Dat betekent dat onze kinderen niet veel modellen krijgen van mensen die zich bekwaam voelen. En als dat wel het geval is, hangt er misschien zelfs een negatieve sfeer omheen. Ouders moeten er dus voor zorgen dat hun jonge kinderen gevoelens van bekwaamheid ontwikkelen. Daarvoor zijn er verschillende 'regels' die ouders veelvuldig kunnen toepassen.

- **Ouders moedigen hun kind aan**
  Al in de wieg zijn kinderen hiervoor gevoelig. Bij het heffen van hun hoofdje, het gericht kijken en luisteren, het flesje drinken of bij borstvoeding... het kind beseft erg vlug via de toon van de ouders of het hun een plezier kan doen. Dat besef ontstaat onder andere door aan te moedigen, aanvankelijk nog meer door de toon dan door de woorden. Maar ook woorden zijn belangrijk, omdat het kind op termijn een 'aanmoedigingswoordenschat'

opbouwt. Het kind steekt de handen uit de mouwen en de ouders ondersteunen het als zijn vurigste supporters. Dat geeft niet alleen energie aan het kind, maar ook krijgen de ouders de gelegenheid om in te grijpen waar dat nodig is.

'Goed zo!', 'Jaaa!', 'Doe maar!'

- **De aanmoedigingen van de ouders zijn gericht op het kind en op zijn handelen**
Wie weleens naar een voetbalwedstrijd gaat kijken van de jongste kinderen en luistert naar wat er van de zijlijn wordt geroepen, vaak door de ouders, begrijpt waarom dit punt extra wordt vermeld. Vaak roepen ouders iets over de omstandigheden of de tegenstander ('Houd hem!', 'Laat hem niet gaan!', 'Doorgaan!'). Het zijn allemaal uitroepen die het kind wel kunnen aanmoedigen, maar als het niet lukt om het waar te maken? Dan heeft het kind een faalervaring. En veel faalervaringen binnen hetzelfde thema zorgen ervoor dat het kind blokkeert, dat het tegenzin ontwikkelt. Daarom moeten de aanmoedigingen gericht zijn op wat het kind zelf goed doet.

- **Ouders maken hun kind bekwaam**
Voor wat het kind goed doet, krijgt het waardering. Vanuit professionele hoek zijn mensen vaak getraind in foutenanalyse. Dit betekent dat ze zoeken waar het fout loopt, om het dan te kunnen verbeteren. Op zich is dat een mooi doel natuurlijk, maar daardoor krijgt datgene wat goed gaat vaak veel te weinig aandacht. Het lijkt wel een evidentie dat dingen goed lopen. En toch is dat niet zo. Elke ontwikkelingsstap die een kind zet, is een overwinning en mag op die manier worden begroet. Deze regel betekent eigenlijk dat we een 'goede-dingenbril' opzetten en zien wat er allemaal goed loopt. Dat benoemen de ouders voor hun kind.

Sandra (14 maanden) loopt sinds een paar dagen. Aanvankelijk was iedereen in haar omgeving daar heel enthousiast over. De pluimpjes vlogen in het rond. Mama maakt zich echter ongerust over de manier waarop ze bij het lopen haar voeten zet. De ene voet staat wat meer naar buiten gekeerd dan de andere. Daar zal iedereen nu speciaal op gaan letten, want anders leert ze verkeerd lopen. Na een paar dagen krijgt Sandra al helemaal geen complimenten meer voor haar prestaties. Integendeel, ze ziet alleen nog bezorgde blikken naar dat ene voetje...

- **Ouders specificeren waarom zij het handelen van hun kind goed vinden**

Als ze dat niet doen, laten ze twee kansen liggen. In de eerste plaats lopen ze het risico dat het kind hen niet gelooft. Veronderstel immers dat het kind van zichzelf vindt dat het niet goed presteerde, dan zal het een gewoon 'goed zo!' niet onmiddellijk geloven. Door te zeggen wat er precies goed is, heeft het kind geen uitweg meer.

'Wat een mooie tekening! Kijk eens, je gebruikte het hele blad!'

'Je hebt flink gegeten. Je bord is helemaal leeg. Goed zo!'

'Zo! Jij kunt je hoofd al heel flink recht houden.'

In de tweede plaats leert het kind op deze wijze criteria kennen die een activiteit positief afficheren.

Om een mooie tekening te maken, kun je het beste het hele blad gebruiken.

Goed eten betekent je hele bord leeg eten.

- **Ouders zorgen voor succeservaringen**

De activiteiten waartoe ouders hun kind uitnodigen of die het kind zelf kiest, moeten leiden tot succeservaringen. Als het fout dreigt te lopen, zullen de ouders inspringen. De slotervaring moet goed zijn. Dat betekent dat de ouders soms zeer ver gaan in de hulp die ze bieden. Een activiteit die – ook met de nodige hulp – niet tot succes leidt, is een verkeerde activiteit voor dit kind.

Dat houdt enerzijds in dat de ouders de mogelijkheden van het kind goed in kunnen schatten en anderzijds dat ze weten welke basisvaardigheden nodig zijn om de activiteit te laten slagen.

Tim is een leergierige peuter die weet waar de kast met de vele denkspellen van oom Emiel staat. Als hij bij hem op bezoek komt,

wil hij altijd uit de kast een paar spellen kiezen, liefst de spellen
die hij nog niet kent. Het is aan oom Emiel om van tevoren de spel-
len waarvan hij overtuigd is dat ze nog te moeilijk zijn voor Tim,
achter in de kast te leggen...

Een kind dat zich bekwaam voelt, blijft succeservaringen
opzoeken. Het ontwikkelt een attitude van zelfevaluatie en probeert dat fijne gevoel ook in andere situaties opnieuw te beleven.
Ook vindt het kind het fijn om bepaalde activiteiten regelmatig
te herhalen, omdat het er de vorige keer een fijn gevoel aan over-
hield.

We beseffen zeer goed dat we deze interactiekwaliteit vooral
benaderen vanuit de richting ouder naar kind. Ouders die zich
bewust zijn van wat het kind naar hen doet, weten dat de andere
richting (kind naar ouder) ook sterke invloed heeft op het zich
bekwaam voelen als ouder.

Een baby die goed drinkt, geeft mama een zalig moedergevoel.
'Dat is stevige kost die ik geef, hoor!' zegt de mama, die haar baby
goed ziet groeien en ziet toenemen in gewicht.

Het was een tijdje geleden dat opa de kleinkinderen nog had
gezien. Nu was het zover. Lara (3 jaar) ziet opa bij het binnenko-
men, loopt naar hem toe en verdwijnt voor een paar minuten in
zijn armen, terwijl ze zegt: 'Ik heb je gemist, opa!' Die smelt hele-
maal weg.

Vaak vragen ouders zich af hoe ze deze interactiekwaliteit
moeten aanpakken wanneer hun kind regelmatig faalt. Om te
beginnen kunnen ze onderzoeken of het kind niet te veel prikkels
krijgt die het nog niet aankan. In het thema zone van de naaste
ontwikkeling (Deel IV) gaan we daar dieper op. Daarnaast is het
ook belangrijk een basishouding aan te nemen waarbij het kind
mag falen... op voorwaarde dat eruit wordt geleerd. Want je kunt
je afvragen of je nog wel kunt leren (jezelf ontwikkelen) uit iets
wat voortdurend lukt. Eigenlijk gaat het dan om iets wat je al kunt
en dan is het tijd voor iets nieuws of iets ingewikkelds. Daar ligt

de nieuwe uitdaging, en die aangaan is tevens het risico nemen om te falen. Dat is gezond! Er is wel één voorwaarde aan verbonden: uit falen kun je leren hoe het niet moet, en misschien zelfs hoe het wel moet. Ouders die deze boodschap verbaal en non-verbaal kunnen overbrengen, geven hun kind een kostbaar geschenk om zijn ontwikkeling te bevorderen.

Vier valkuilen liggen er bij deze interactiekwaliteit op de loer:

• *Het kind vertellen dat iets goed is zonder toelichting.* Zeker voor jonge kinderen is die uitleg noodzakelijk. De kans is groot dat zij anders niet begrijpen wat de ouders bedoelen en dan komt de boodschap niet aan.

• *De gedachte van de ouders dat ze reeds veel inspanningen leveren opdat het kind zich bekwaam zou voelen.* Vanuit al wat ze weten over opvoeding zijn ze er immers van overtuigd dat dit belangrijk is voor jonge kinderen. Ervan overtuigd zijn is echter niet hetzelfde als het ook vaak doen. Ervaring binnen dit werk leert ons dat deze interactiekwaliteit al te vaak wordt ondergesneeuwd door opmerkingen over wat beter kan.

• *Overdaad schaadt.* Het is niet zo dat het jonge kind zich té bekwaam kan voelen. Ouders moeten er echter voor zorgen dat ze complimenten zodanig doseren dat hun kind ze nog opmerkt. Als pluimpjes de hele dag rond je hoofd dwarrelen, merk je ze niet meer op.

• *Een gebrek aan wederkerigheid.* Ouders kunnen hun jonge kind vaak aanmoedigen en veel complimentjes geven, maar wanneer die acties niet bij het kind aankomen, met andere woorden: als er geen wederkerigheid is, dan is het verloren energie en gaat het kind er zich niet bekwamer door voelen.

Tips

• Maak oogcontact, glimlach naar je kind of druk op een andere fysieke wijze je tevredenheid uit.

- Zeg tegen je kind dat je trots op hem bent en dat dat je blij maakt. Leg uit waarom. Geef je kind het gevoel dat je gelukkig bent met de manier waarop het dingen doet.
- Zorg er zo veel mogelijk voor dat iets wat in eerste instantie mislukte, toch als een succeservaring eindigt.
- Denk regelmatig na over het gevoel dat je kind je geeft als ouder en over de manier waarop je kind je in je ouderschap bevestigt. Benoem jezelf ook regelmatig als een goede ouder.
- Wees niet negatief of bezorgd over je kind in het bijzijn van je kind. Kinderen horen wat je zegt en voelen vanuit je lichaamstaal en je stemgebruik of het positief of negatief is. Zij kunnen niet altijd begrijpen waar het over gaat. Dat maakt hen onzeker.
- Geef elkaar als opvoeders van je kind regelmatig een complimentje. Ook volwassenen doet dit deugd.
- Zoek naar eenvoudige signalen waarmee je je kind kunt aangeven dat je waardeert wat het doet: de opgestoken duim, een knipoog… Deze kleine signalen kunnen goed van pas komen in drukkere situaties zoals op familiefeesten. Het kleine signaal tussen jou en je kind geeft het vertrouwen in die onzekere situatie en is tegelijkertijd een teken van jullie onderlinge verbondenheid.
- Ga ervan uit dat niets van wat je kind doet 'vanzelfsprekend' is. Te veel mensen vinden de activiteiten van kinderen (en ook volwassenen) vanzelfsprekend. Wie op die manier denkt, geeft weinig pluimpjes, want vindt het geen verdienste dat het gebeurt. Ouders die over kleine activiteiten van hun kind verwonderd kunnen zijn, ze niet vanzelfsprekend vinden, kunnen alles aangrijpen om complimentjes te geven. We vinden dus vanaf nu niets van wat goed verloopt nog vanzelfsprekend, maar wel een prestatie!
- De belangrijkste vragen voor ouders zijn:
  - Geef ik gemotiveerde complimenten?
  - Moedig ik aan op het juiste moment?
  - Beseft mijn kind waarom het succes heeft?

- Zorg ik voor succeservaringen in mijn aanbod aan mijn kind?
- Geef ik mijn kind de mogelijkheid een succeservaring aan zichzelf toe te schrijven?
- Toon ik blijdschap als mijn kind succes heeft?
- Ben ik erop gericht om te zoeken naar wat goed is in het handelen van mijn kind?
- Geef ik faalervaringen de tijd om succeservaringen te worden?
- Heb ik oog voor de inspanningen die mijn kind levert?

Gedrag regelen

Het is een bekend ritueel voor Zander (1 jaar). Hij hoort onmiddellijk wanneer mama de fles in de magnetron zet. Hij weet nu wat hem te wachten staat: mama komt naar hem toe, hij buigt zijn hoofd en mama zal hem een slabbetje aandoen. Daarna zal ze met hem wachten op de 'ting' van de magnetron, even voelen of de melk de goede temperatuur heeft en dan krijgt hij te drinken. Door het steeds terugkerende ritueel slaagt Zander erin om meestal rustig te blijven. Hij heeft er vertrouwen in dat de melk komt.

Zander kent deze opeenvolging van handelingen omdat hij ze elke dag meemaakt. Hij kan nu voorspellen wat er gaat gebeuren. Een voorspelbare wereld is voor Zander en voor elk kind een veilige wereld. Hij weet wat komen zal en dat hij zich niet ongerust hoeft te maken.

Er is sprake van het regelen van gedrag als de ouder of het kind zich bewust richt op 'denken vooraleer te doen', dus op het denken over de verschillende stappen die in de activiteit moeten worden genomen om het gestelde doel te bereiken. Gedrag regelen heeft in dit verband dus niets te maken met goed of fout gedrag, wel met het leren plannen van een activiteit. De ouder is een voorbeeld van gepland gedrag, demonstreert, brengt opeenvolgende handelingen in verband met elkaar en met het doel en plaatst ze in tijd en ruimte.

Oma heeft met haar kleinzoon (4 jaar) pannenkoeken gebakken. Ze hebben de juiste pan gekozen, het meel afgewogen, gezeefd, eieren geklutst, melk toegevoegd en het geheel gemengd. De kleine man merkte op hoe de boter in de pan begon te smelten en hoe het even wachten was tot het witte deeg goudgeel kleurde tot een pannenkoek. Als opa binnenkomt, zegt hij dat de keuken geurt naar heerlijke pannenkoeken. Die zullen achteraf nog beter smaken dan anders...

De ouder laat het kind zien dat er activiteiten zijn die stap voor stap worden uitgevoerd (bijvoorbeeld een puzzel oplossen) en andere activiteiten waarbij het belangrijk is om die tegelijkertijd aan te pakken (bijvoorbeeld bij het koken). Deze laatste activiteiten komen bij jonge kinderen nog zelden voor. Ze zijn ook veel moeilijker omdat ze complexer zijn.

Er zijn verschillende manieren om kinderen te leren hun gedrag te regelen.

De ouders gebruiken in de eerste plaats korte zinnetjes, waarbij ze aangeven hoe een handeling het beste uitgevoerd kan worden. Het zijn alledaagse zinnetjes met woorden die het hoe van de handeling aanduiden.

- *'Draai de kraan stevig dicht tot er niets meer uitkomt.'*
- *'Spreek zacht tegen de pop, zodat ze rustig wordt.' (hierbij zegt de ouder dit zelf ook zacht, waardoor zij gedragsregulering modelleert)*

Daarnaast zegt de ouder vaak zelf hardop de opeenvolgende handelingen.

- *'Eerst moeten we alle blokjes van de puzzel uit de doos pakken. Dan leggen we ze met de afbeelding naar boven, zodat we kunnen zien wat erop staat.'*

- *'Eerst de kleren uit, dan de pyjama aan en dan tanden poetsen. Als dat klaar is, kun je gaan slapen.'*

Aan het kind kun je ook vragen stellen met betrekking tot een activiteit die het gaat aanpakken.

- *'Waarmee gaan we een auto maken?' ('Met stoelen.')*
- *'Waar gaan we dat doen?' ('In de woonkamer.')*
- *'Wie mag er allemaal mee in de auto?' ('Beer, Poeh, oma en ikke.')*

Meestal werken we zonder planning. De meeste dagelijkse activiteiten voeren we uit, onbewust van het plan dat erachter zit. Voor je kind is die vanzelfsprekendheid er nog niet. Daarom is het goed tijdens je handelen regelmatig de verschillende stappen die je onderneemt te verwoorden, zeker wanneer je ze uitvoert met je kind.

We gaan onze jas aantrekken. Eerst de eerste arm door de mouw, dan de andere door de andere mouw. Nu de rits sluiten. Nog even je sjaal aandoen, want het is koud buiten. En klaar is Kees.

Gedrag regelen kan het beste gebeuren naargelang van een vooropgesteld doel. Dat is het vertrekpunt. Zonder doel wordt alle handelen stuurloos.

- *Het ochtendritueel leidt tot het klaar zijn om naar de opvang of naar school te gaan.*
- *Een drankje en een koekje in de schooltas zorgen ervoor dat je kind tijdens de pauze samen met de andere kinderen iets kan eten en drinken en dus geen honger of dorst hoeft te lijden.*
- *De garage die we samen bouwen, heeft als doel om er met de auto's in en uit te kunnen rijden.*

- *De trap naar de top van de glijbaan oplopen heeft als doel naar beneden te kunnen glijden.*

Zo heeft elke actie haar doel. We kunnen die koppelen aan de tweede interactiekwaliteit (betekenis verlenen), omdat het doel bereiken de reden is waarom we actie willen ondernemen.

Als ouder ervan bewust zijn dat gedrag regelen doelgericht is, houdt dus ook in dat je de doelen die je voor je kind stelt steeds goed formuleert. Daardoor ontwikkelt het jonge kind een houding van doelgericht werken. De hierboven beschreven suggesties kunnen daarbij helpen. Als het kind wederkerigheid toont naar het vooropgestelde doel, zal het meer energie vrijmaken om het doel te bereiken dan wanneer het doel onduidelijk is.

Het kind kan ook zelf een doel aangeven.

- *Een baby laat zien dat hij een bepaalde lepel wil.*
- *Een peuter geeft aan in welk boekje hij wil kijken door de andere boekjes weg te duwen.*
- *Een andere peuter begint aan de stoel in de keuken te trekken om die naast jou te zetten. Dan kan hij helpen met het snijden van de groenten.*
- *Een kleuter zoekt in een kleurboek bewust naar een bepaalde tekening om ze te kleuren.*

Gedrag regelen ontwikkelt bij het kind onder andere de behoefte om impulsiviteit af te remmen, om te plannen, om stapsgewijs te handelen. Daardoor wordt de kans op een succeservaring vergroot. Het kind wordt geleidelijk een zelfstandig denker. Het ervaart dat het zelf zaken kan voorstellen en realiseren.

- *De kinderen geven aan dat ze willen schilderen. Mama zegt dat dat goed is, waarop Niels, de oudste, aangeeft: 'Dan moeten we onze schort aandoen!'*

- *Floor speelt met haar poppen. Wanneer papa vraagt wat ze doet, vertelt ze dat pop eerst moet eten en dan een nieuwe pamper aankrijgt. Daarna zullen ze samen de knuffel zoeken en dan moet pop in bed.*

Een ander voordeel van het regelen van het eigen gedrag is dat kinderen leren dat een activiteit niet mislukt omdat ze het niet aankunnen, maar misschien wel omdat de activiteit verkeerd gepland is. Dat inzicht biedt de mogelijkheid om opnieuw te beginnen volgens een nieuw plan, waardoor er toch nog sprake kan zijn van een succeservaring.

Ellen (2,5 jaar) steekt verschillende vormpjes in een kleine vrachtwagen. Als ze er allemaal in verdwenen zijn, wil ze de vormpjes er weer uithalen. Dat lukt echter niet. Ellen raakt gefrustreerd. Grote broer komt helpen en laat zien dat de vrachtwagen een klep heeft die open kan. Daar liggen al de vormpjes voor het grijpen. Nu is Ellen gered! Ze zal nog verschillende keren na elkaar alle vormpjes laten verdwijnen en ze via de open klep er weer uithalen.

De valkuil van deze interactiekwaliteit is het geven van richtlijnen of bevelen.

Die maken van kinderen goede uitvoerders, maar ze leren zo niet meedenken over de activiteit en zullen zelf geen gepland gedrag ontwikkelen.

Tips
- Denk regelmatig na over de kleine plannetjes die je met je kind uitwerkt. Je doet er elke dag verschillende! Benoem ze terwijl je ze uitvoert.

  De baby verschonen, de fles opwarmen of borstvoeding geven, je kind te slapen leggen, zindelijkheidstraining... het gebeurt allemaal volgens een steeds weerkerend stramien.

- Maak jezelf bewust van je eigen geplande gedrag. Dat is immers wat bij het kind het sterkste binnenkomt. De wijze waarop jij je gedrag regelt, is de beste leerschool voor je kind.

  Wanneer je kleuter thuis schooltje speelt, is de kans groot dat hij de juf zal spelen. Het is opvallend hoe goed het gedrag van de eigen juf op school dan wordt geïmiteerd. Als de juf dat rollenspel te zien zou krijgen, zou ze verbaasd staan over de kleine dingetjes die haar kleuters bij haar opmerken. Zij is voor haar kleuters een sterk voorbeeld van gedrag in het algemeen, dus ook van gepland gedrag.

- Benoem wat je kind doet, reeds vanaf de babyperiode. Wanneer je kind wat groter is (kleuter), kun je al vragen wat het doet en wat de volgende stap zal zijn. Bijvoorbeeld 'Ik zie je in je oogjes wrijven. Ben je moe?'

  Kristof (2 jaar) neemt papa bij de hand. 'Wat wil je dat ik doe? Moet ik meelopen?' Samen gaan ze naar de grote keukenkast. Kristof krijgt die niet alleen open, maar weet dat de koekjes achter die deur liggen. Hij gebaart papa dat die de deur open moet doen en zegt intussen 'open doen!'. Papa houdt zich van de domme: 'Moet ik de deur voor je opendoen? Wat wil je doen met die open deur?' Ondertussen opent hij de deur, waarop Kristof met zijn vinger de koekjes aanwijst en 'koekies' zegt.

  In dit voorbeeld raadt papa heel vlug waar het Kristof om te doen is. Door steeds alleen te doen wat zijn kind aangeeft, verplicht hij Kristof om zijn plan stap voor stap zichtbaar te maken.

- Gun je kind de tijd die het nodig heeft om over een plannetje na te denken. Je kind zal die tijd niet in stilte opvullen, want het denkt nog niet op zo'n abstract niveau. Wel zal het dingen uitproberen. Laat dit experimenteren toe en zeg niet meteen hoe het moet, ook niet wanneer het fout loopt. Daardoor creëert je kind kansen om te leren. Als de activiteit mislukt, zie er dan op toe dat je kind opnieuw begint op een andere manier.

- Toon je kind of bevraag het regelmatig hoe een activiteit wordt opgestart. Het opstarten is immers vaak een moeilijke zaak. Als je maar eenmaal begonnen bent, wijzen de volgende stappen zichzelf.
- Verwoord zelf of laat je kind verwoorden wanneer een activiteit klaar is. Zeg daarbij of het doel al dan niet is bereikt: 'Ziezo, de knikkerbaan is klaar. Nu kunnen we spelen.'
- De belangrijkste vragen voor ouders zijn:
  - Schenk ik aandacht aan alle onderdelen van het handelen van mijn kind?
  - Creëer ik een sfeer waarin rustig kan worden gewerkt?
  - Heb ik oog voor een goede start van de handeling?
  - Hoe zorg ik ervoor dat mijn kind doelgericht bezig blijft?
  - Praat ik met mijn kind over de gevoerde processen?
  - Kan ik mijn kind bijsturen zonder de activiteit van hem af te pakken?
  - Hoe breng ik het aspect 'tijd' in beeld?
  - Leg ik samen met mijn kind verbanden?
  - Ben ik een voorbeeld van planmatig werken?

Een communicatieketen opbouwen

De opsomming van de interactiekwaliteiten in de voorgaande paragrafen zou de verkeerde indruk kunnen wekken dat interactie ook steeds volgens hetzelfde stramien verloopt: focussen, betekenis verlenen, uitbreiden, zich bekwaam voelen en gedrag regelen. Dat is natuurlijk niet het geval, want dat zou leiden tot zeer onnatuurlijke communicatie. Interactie tussen het kind en zijn ouders verloopt immers niet strikt volgens een bepaalde volgorde of bepaalde regels. Belangrijk is dat de verschillende interactiekwaliteiten regelmatig in de interactie aan bod komen. De volgorde waarin dat gebeurt, is afhankelijk van de interactie die zich ontvouwt.

Kevin heeft net geleerd hoe hij zelf zijn jas kan aantrekken door hem op de grond te leggen, dan zijn armen door de mouwen te steken en de jas over zijn hoofd te zwaaien. (gedrag regelen)

Wanneer hij aan de actie begint, prijst mama hem: 'Wauw, ga jij je jas helemaal alleen aantrekken? Flink, hoor!' (zich bekwaam voelen)

Kevin heeft de jas echter verkeerd op de grond gelegd, waardoor die ondersteboven komt te hangen. Hij merkt dat het fout gaat, trekt de jas uit en wil opnieuw beginnen.

'Kijk,' zegt mama, *'je hebt je jas verkeerd neergelegd.* (focussen) *Je kraag moet bij jou liggen.'* (gedrag regelen)

Kevin doet het deze keer goed en is heel trots.

'Ik heb dat alleen gedaan. Ik kan dat al goed, hè, mama.' (zich bekwaam voelen)

'Absoluut!' (zich bekwaam voelen) *'Ik ben heel blij dat jij dat alleen kunt. Nu zijn we vlugger klaar om te vertrekken.'* (betekenis verlenen)

'De juf zei dat we dat niet mogen doen als de grond nat is, of vuil.' (uitbreiden)

'Dat is juist en dat heb jij goed onthouden, flinke man!' (zich bekwaam voelen)

De verschillende interactiekwaliteiten wisselen in dit voorbeeld voortdurend af en worden zowel door Kevin als door mama aangereikt. Op deze wijze ontstaat er een communicatieketen (Greenspan, 2002), een pingpongspel van interactie tussen beide personen.

Het is binnen de interactie ook niet belangrijk met welke interactiekwaliteit er wordt begonnen. Elke interactiekwaliteit kan daarvoor worden gebruikt.

- *Katrijn (4 jaar) heeft al een tijdje in de zandbak gespeeld met de grote vrachtauto. Ze vult hem met zand en gooit het er dan weer uit.* (gedrag regelen)

  'Wat ben jij goed bezig met die vrachtauto!' (zich bekwaam voelen) *'Je schept het zand eruit en schept het dan weer terug.'* (gedrag regelen) *'Misschien kunnen we samen zo wel een heel hoge berg maken.'* (uitbreiden)

- *Frans (2 jaar) speelt rustig op zijn eentje. Papa ziet hoe hij probeert de stukken van een legpuzzel op de juiste manier op hun plaats te krijgen. Het is moeilijk om die stukken in de juiste richting te leggen. Wanneer het eerste stukje lukt, start papa de interactie: 'Bravo, het is je gelukt. Goed, hoor! Ga je nog een stukje proberen?'* (zich bekwaam voelen)

  Frans aarzelt. Papa kijkt vlug welk van de resterende stukken het gemakkelijkste zal zijn en zegt: 'Neem het meisje maar.' (betekenis verlenen) *'Waar denk je dat die moet liggen?'* (gedrag regelen)

  Frans neemt het meisje. Hij slaagt erin ook dit stuk weer goed te leggen.

  Papa reikt hem het schaap aan: 'En nu het schaap.' (gedrag regelen + betekenis verlenen) *'Zo komen alle dieren bij het meisje in de boerderij.'* (uitbreiden)

- *Inga (2,5 jaar) heeft haar pop uitgekleed en zet ze nu in een badje. Mama vraagt: 'Waarom moet je pop in bad?'* (betekenis verlenen) *Waarop Inga antwoordt: 'Vies!'* (betekenis verlenen) *'Dan slapen!'* (gedrag regelen)

De kans is reëel dat ouders die deze voorbeelden lezen van zichzelf denken dat ze dit al veel doen. Dat is best mogelijk, maar dan blijft de vraag of ze op dat ogenblik bewust of routineus bezig zijn. Het is namelijk belangrijk voor het kind dat de ouders zelf doelgericht bezig zijn.

Het doel van de ouders is een zo gevarieerd mogelijke communicatie met het kind uit te bouwen die gericht is op het gekozen thema. Door de communicatie steeds te verlengen vanuit de verschillende interactiekwaliteiten ontstaat er een communicatieketen. Hoe uitgebreider die is, des te intenser het interactiemoment zal zijn. Een uitgebreide communicatieketen wordt echter niet bereikt door steeds vanuit dezelfde interactiekwaliteit te vertrekken of ze in dezelfde volgorde te gebruiken. Een kind dat alleen maar gefocust wordt, zal snel afhaken en zelf op zoek gaan naar een nieuwe prikkel. Voortdurend inzetten op zich bekwaam voelen, komt vlug ongeloofwaardig over.

We kunnen ook onderscheid maken tussen wat we denken dat we doen en wat we in werkelijkheid doen. Eigen onderzoek bracht een aantal interessante bevindingen aan het licht.

Een oppasmoeder die getraind werd in het MISC-concept van Klein, werd bij haar thuis gefilmd tijdens haar interactie met drie peuters. Wat ze deed was voortreffelijk. Ze bouwde mooie communicatieketens op vanuit de verschillende interactiekwaliteiten. Een tijdje later kwamen haar drie jonge kinderen thuis van school. Nu waren er zes kinderen waarvoor ze moest zorgen. En wat was het resultaat? Niet alleen verminderde het aantal interacties met de drie peuters, maar ook het inzetten van interactiekwaliteiten verminderde aanzienlijk. De vrouw ging veel meer over naar het geven van richtlijnen en vergat bijna helemaal om de kinderen aan te moedigen en te prijzen (zich bekwaam voelen) en uit te breiden. Dit is best te begrijpen, maar wel belangrijk om te weten.

Nog maar eens: wederkerigheid als basis

We kunnen er niet omheen om ook in dit deel nogmaals het belang van wederkerigheid te benadrukken. Klein (1996) zegt hierover: 'Het gaat om matching tussen wat de ouder ziet dat het kind doet en hoe ze erop reageert, met als gevolg een respons van het kind ten aanzien van de ouder.' Zonder wederkerigheid is er geen interactie!

- *Tom speelt met de auto's. Hij heeft een auto waarvan de deuren opengaan, maar dat heeft hij nog niet ontdekt. Papa wil hem dat laten zien, maar Tom heeft er geen oog voor. Hij wil verder kunnen rijden met de auto.*
- *Lien zit in bad en heeft in haar hand een eendje. Ze kijkt ernaar zonder er iets mee te doen. Mama neemt een ander eendje en laat het enthousiast, vocaal goed ondersteund, dansen op het water. Lien blijft naar het eendje in haar hand kijken.*
- *In het park zijn de paden rond de vijver bedekt met veelkleurige steentjes. Petro heeft alleen maar oog voor een erg mooie, gladde kei. Mama laat hem nog andere stenen zien, beschrijft ze, demonstreert hoe ze kunnen ketsen op het water, maar daarvoor heeft Petro geen interesse.*
- *Loes heeft haar yoghurt alleen opgegeten, iets wat maar zelden lukt. En ze heeft nauwelijks geknoeid. Mama geeft haar hiervoor een dikke pluim. Maar terwijl mama haar complimentjes geeft, is Loes alweer op weg naar het volgende spelmoment.*
- *'Wat zullen we maken met de legoblokken?' vraagt papa. 'Een garage!' zegt Jonas enthousiast. 'En waar wil je die neerzetten?' wil papa weten. Maar Jonas rijdt alweer verder met zijn auto.*

Het mag duidelijk zijn uit deze voorbeelden dat de interacties die ouders hier aangaan geen zin hebben, want het kind gaat niet mee in de interactie. Daarom is het belangrijk dat ouders zich voortdurend bewust zijn van de wederkerigheid die hun kind geeft. Als die er niet is, moeten de ouders daarvoor zorgen. Dit betekent niet dat zij de prikkel los moeten laten, integendeel. Indien ze er echt iets mee willen doen, moeten ze ervoor zorgen dat de prikkel hoe dan ook onder de aandacht komt van het kind.

Het uiteindelijke doel van de interactiekwaliteiten

We vingen Deel III aan met de gedachte dat wat we met kinderen doen zichtbare en dieper liggende doelen heeft. De zichtbare doelen staan in functie van de dieper liggende doelen. We kunnen zelfs stellen dat bijna elke interactie kan worden gebruikt om te werken aan dieper liggende doelen. Die dieper liggende doelen zijn evenwel niet zomaar gekozen. We trachten bij kinderen basisbehoeften te ontwikkelen die hen zullen helpen om hun totale ontwikkeling optimaal ter hand te nemen, los van de eventuele beperkingen die ze hebben. De vraag is nu hoe de dieper liggende doelen gekoppeld zijn aan de interactiekwaliteiten en wat het uiteindelijke effect ervan zal zijn op het kind. Het schema op de volgende pagina verduidelijkt dit.

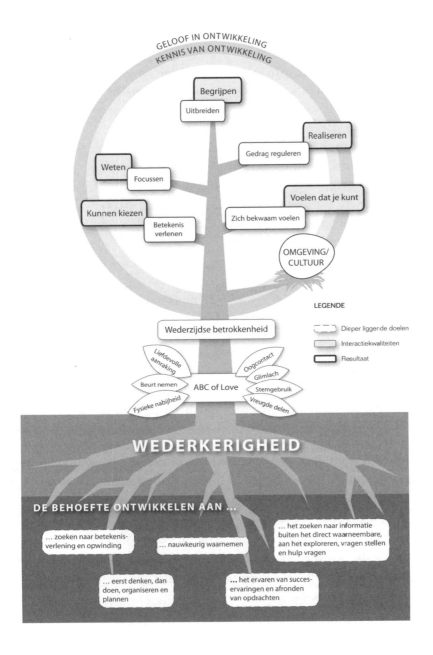

GELOOF IN ONTWIKKELING
KENNIS VAN ONTWIKKELING

Begrijpen

Uitbreiden

Realiseren

Gedrag reguleren

Weten

Focussen

Voelen dat je kunt

Kunnen kiezen

Zich bekwaam voelen

Betekenis
verlenen

OMGEVING/
CULTUUR

LEGENDE

Dieper liggende doelen

Interactiekwaliteiten

Resultaat

Wederzijdse betrokkenheid

Liefdevolle
aanraking

Oogcontact

Glimlach

Beurt nemen   ABC of Love   Stemgebruik

Fysieke nabijheid   Vreugde delen

WEDERKERIGHEID

DE BEHOEFTE ONTWIKKELEN AAN ...

... zoeken naar betekenisverlening en opwinding

... nauwkeurig waarnemen

... het zoeken naar informatie
buiten het direct waarneembare,
aan het exploreren, vragen stellen
en hulp vragen

... eerst denken, dan
doen, organiseren en
plannen

... het ervaren van succeservaringen en afronden
van opdrachten

Oefening: jouw realisaties

Ontegenzeglijk heb je in je leven ook al een en ander gerealiseerd. Neem één bepaalde realisatie in gedachten en ga voor jezelf na welk belang de vijf dieper liggende doelen hebben gehad om uiteindelijk te slagen.

Wanneer was het binnen dat initiatief nodig om:

• nauwkeurig waar te nemen?
• verbanden te leggen, te vergelijken, veronderstellingen te formuleren, je eerder opgedane kennis te gebruiken?
• voor jezelf er waarde aan te kunnen geven?
• een goed plan uit te werken?
• het gevoel vast te houden dat je de opdracht aankon?

Het is best mogelijk dat je voor een geslaagd initiatief alle dieper liggende doelen nodig had.

Maar misschien heb je een heel belangrijk en zeldzaam initiatief uitgekozen: de prestatie van je leven tot op heden. Doe dan de oefening nog eens over, maar kies voor een activiteit die je regelmatig moet uitvoeren. Heb je bijvoorbeeld de vijf dieper liggende doelen ook nodig om een goede spaghettisaus te maken?

Hopelijk heeft deze oefening ouders kunnen overtuigen van het belang van de dieper liggende doelen in hun eigen leven. Voor kinderen zijn ze net zo belangrijk. Bovendien is het niet voldoende dat kinderen deze doelen kunnen waarmaken met hulp van de ouders. Het zal nodig zijn dat kinderen de *behoefte* ontwikkelen om die dieper liggende doelen te realiseren, zodat ze die zelf in kunnen zetten op het ogenblik dat ze ze nodig hebben om een bepaald doel te bereiken.

Samenvatting

- Om het dieper liggende doel *nauwkeurig waarnemen* te bereiken, leren de ouders het kind focussen. Een kind dat kan focussen (= gericht en nauwkeurig waarnemen met alle zintuigen) *weet* wat er in zijn wereld gebeurt.
- Om het dieper liggende doel *zoeken naar betekenisverlening en opwinding* te ontwikkelen, verlenen de ouders aan de activiteit binnen de actie betekenis. Doordat het kind zelf waarde leert geven aan de omringende elementen, zal het in staat zijn om beter en zelfstandiger te kiezen.
- Om het dieper liggende doel *zoeken naar informatie buiten het direct zintuiglijk waarneembare, exploreren, vragen stellen en hulp vragen* te ontwikkelen, breiden ouders binnen de interactie het thema uit. Een kind dat kan uitbreiden, leert de wereld beter *begrijpen*.
- Om het dieper liggende doel *ervaren van successen en afronden van opdrachten* te ontwikkelen, zorgen de ouders ervoor dat het kind zich bekwaam voelt. Als dat lukt, zal het kind een gevoel ontwikkelen dat het veel *kan*, en dat stimuleert om nieuwe uitdagingen aan te gaan.
- Om het dieper liggende doel *eerst denken dan doen, organiseren en plannen* te ontwikkelen, regelen de ouders gedrag zowel door zelf voorbeeld te zijn, als door het kind daartoe aan te zetten binnen de interactie. Wanneer een kind zijn gedrag leert regelen, zal het beter zijn doelen *realiseren.*

Deel iv •• Zorgen voor een ontwikkelings- bevorderende omgeving

Inleiding

Tot nu toe hebben we steeds de nadruk gelegd op het belang van de interactie tussen het kind en zijn ouders. De ouders zorgen ervoor dat de potenties die het kind bij zijn geboorte meekreeg zich goed zullen kunnen ontplooien. Deze interactie verloopt steeds binnen een omgeving, in een bepaalde ruimte met eigen kenmerken, met een eigen sfeer. De omgeving kan de interactie tussen ouders en kind bevorderen, maar evengoed belemmeren. Het is daarom van belang dat ouders zich bewust zijn van de kenmerken van de omgeving. In dit laatste deel bespreken we de belangrijkste kenmerken van een ontwikkelingsbevorderende omgeving.

1. Kenmerken van een ontwikkelingsbevorderende omgeving

Het is altijd boeiend om een huis binnen te gaan waar kinderen wonen of een bezoek te brengen aan een kinderdagverblijf of een kleuterklas. Het geeft je meteen een eerste indruk van wat er zoal gebeurt.

We gaan voor ons werk regelmatig naar Litouwen, waar we onder meer les geven aan studenten die later met jonge kinderen zullen werken in kinderdagverblijven of met kleuters. Een van de opdrachten voor onze studenten is observeren in een kinderdagverblijf. Naast de observatieopdracht vragen we de studenten ook om foto's te nemen. Elke student moet twee uur in het kinderdagverblijf observeren, daarna wordt hij afgelost door een collega-student met dezelfde opdracht.

Het bekijken van de foto's was een boeiende activiteit. Daaruit bleek dat een bepaald kinderdagverblijf met een erg goede reputatie beschikte over heel grote ruimten en ongelooflijk veel ontwikkelingsmateriaal: speelgoed, knutselmateriaal, muziekin-strumenten... te veel om op te noemen. Dat was allemaal heel net-jes opgeborgen in mooie kasten. Groot was onze verbazing toen we merkten dat de opeenvolgende studenten allemaal dezelfde foto's namen van die mooi ingeruimde kasten. Terwijl er toch de hele dag kinderen in de ruimte waren. Het zette ons en de studenten aan het denken over de manier waarop dit kostbare materiaal werd gebruikt...

In de komende paragrafen bespreken we een aantal kenmerken waaraan een omgeving zou moeten voldoen om ontwikkeling te bevorderen.

Voldoende ruimte

Wouter was het eerste kind van zijn ouders. Toen hij werd geboren, woonden ze in een klein appartement. In de woonkamer was geen ruimte voor een box en zijn bedje stond naast het ouderlijke bed in de enige slaapkamer. Wouter ontwikkelde zich als baby en peuter heel rustig volgens de gangbare ontwikkelingsschema's. Alleen met lopen bleef hij achter. Toen Wouter 15 maanden was, verhuisde het gezin naar een eengezinswoning. Van de ene dag op de andere werd zijn experimenteerruimte veel groter dan ooit tevoren. Na twee weken in de nieuwe woning liep Wouter als de beste.

Kinderen hebben ruimte nodig. Dat is een moeilijke stelling in een tijd waarin steeds meer mensen onder de armoedegrens terechtkomen. Ook kinderen uit deze gezinnen hebben behoefte aan ruimte. Gelukkig vinden we in alle steden en gemeenten nog pleintjes waar kinderen welkom zijn, waar ze op allerlei speel-tuigen hun motorische vaardigheden kunnen ontwikkelen, waar ze andere kinderen kunnen ontmoeten. De ontwikkeling van motorische vaardigheden heeft immers veel invloed op de andere ontwikkelingsdomeinen. Ouders kunnen er dus het beste voor zorgen dat hun kind regelmatig ruimte om zich heen kan voelen en er volop kan experimenteren.

Aantal prikkels in de ruimte

Rachida (7 maanden) zit in de box. Ze is met zo veel speelgoed omringd dat ze zelf nog amper bewegingsruimte heeft. Wie haar observeert, merkt dat ze het ene speeltje na het andere vastpakt, bekijkt, soms in haar mond steekt, er weleens mee op een ander speeltje slaat, het weer weglegt. Die handelingen herhaalt Rachida verschillende keren, tot ze begint te zeuren...

We vertrekken vanuit de basisgedachte dat kinderen moeten kunnen kiezen waarmee ze bezig willen zijn. Die gedachte heeft twee consequenties.

Enerzijds moeten de ouders zorgen voor een aantal keuzemogelijkheden. Daarbij moeten ze in de gaten houden dat binnen het aanbod activiteiten liggen die het kind goed kan én een aantal activiteiten die het nog niet bemeesterd heeft. Dat geeft het kind de gelegenheid om zowel te kiezen voor veiligheid als voor uitdaging. In interactie met de ouders gaat het kind met bepaalde voorwerpen aan de slag. Ouders kunnen daarbij veel uitlokken door aandacht te geven aan de interactiekwaliteiten (zie Deel III).

Anderzijds moeten de ouders ervoor zorgen dat de ruimte waar het kind kan spelen, experimenteren en ontdekken, niet op een pakhuis gaat lijken. Een selectie in het aanbod dringt zich in vele gezinnen op. Wanneer er overaanbod is, krijgt het kind immers de kans om van de ene activiteit naar de andere te 'fladderen', nergens echt mee bezig te zijn, niets echt af te maken. Het kind leert op die wijze ook niet nauwkeurig waarnemen. Er is immers te veel te zien.

Duidelijkheid

Duidelijkheid heeft van doen met twee aspecten. In de eerste plaats betreft het een duidelijk overzicht van de ruimte en wat zich daarin bevindt. We kunnen het vergelijken met een feest waar een buffet is uitgestald. Eerst worden de gasten uitgenodigd om te kijken wat ze allemaal kunnen kiezen, daarna schuiven ze aan. Zo'n buffet kan dienen als beeld van hoe we dat met kinderen het beste aan kunnen pakken.

Oma heeft de kinderen van haar zoon tijdens hun baby- en peutertijd thuis opgevangen. De kinderen van haar dochter gingen vanaf het begin fulltime naar het kinderdagverblijf. Wanneer de hele familie nu bij oma bij elkaar komt, merkt ze dat de kinderen van haar zoon echt bij haar 'thuis' zijn. Ze weten alles te vinden wat ze nodig hebben: speelgoed, een drankje, het koekje... Ze weten ook welke kasten voor hen verboden terrein zijn. De kinderen van haar dochter moeten vragen waar ze iets kunnen vinden. Zelfs als ze weten waar het gevraagde zich bevindt, zullen ze het toch nog vragen...

In dit voorbeeld zien we de voordelen van het weten waar de dingen zich in de ruimte bevinden. Daarnaast komt ook het tweede aspect van duidelijkheid aan bod: de geldende regels en afspraken kennen. Enerzijds betreft dat kennis van regels en afspraken, anderzijds de wetenschap dat de ouders daarop toezien, de kinderen complimenteren als ze zich aan regels en afspraken houden en hen corrigeren wanneer ze worden overtreden. Inconsequente ouders maken het voor hun kinderen erg moeilijk vanwege de onduidelijkheid. Wanneer de ene keer een regel moet worden toegepast en de andere keer bij een overtreding niets wordt gezegd, weet het kind het niet meer. Onduidelijkheid zorgt voor een onveilig gevoel en blokkeert kinderen. Ze durven niet meer wat ze graag zouden willen doen. Als dit te vaak gebeurt, remt de inconsequentie van de ouders de ontwikkeling van hun kind. De dieper liggende reden om duidelijk te zijn, is dus dat het kind veiligheid geboden wordt. Deze veiligheid nodigt het kind uit om nieuwe wegen te bewandelen, in de wetenschap dat het steeds terug kan vallen op een duidelijke structuur.

Een omgeving waarin uitbreiding mogelijk is

Mohammed (5 jaar) speelt met de auto's. Op zeker ogenblik ziet hij de doos met duploblokken. Hij bedenkt dat hij daarmee een garage kan bouwen voor zijn auto's. Als hij de doos pakt en de blokken uitstrooit over de vloer, zegt papa: 'Mohammed, je weet dat je eerst het ene speelgoed moet opruimen vooraleer je met het andere begint.' Mohammed ruimt de auto's op, maar hij heeft geen zin meer om met de blokken te spelen.

De regel van papa is een goede regel. Wanneer hij die regel niet hanteert, wordt het aantal prikkels in de ruimte immers veel te groot. In dit voorbeeld echter wordt Mohammed door de regel belemmerd. Als papa eerst had gevraagd wat hij met de blokken wilde doen, had hij begrepen dat zowel de auto's als de blokken nodig waren om het spel te kunnen spelen.

Dit voorbeeld betreft het gebruik van regels. Maar ook bij de keuze van het aanbod is het belangrijk dat ouders de mogelijkheid om uit te breiden in het oog te houden. Soms wordt speelgoed door fabrikanten zo gemaakt dat alleen maar één bepaalde activiteit mogelijk is. Wil je er meer mee doen, dan moet je extra dozen met aanvullingen kopen. Het is goed als ouders hiervoor aandacht te hebben. Welke uitbreidingsmogelijkheden biedt het speelgoed?

Daarbij is het goed om eens rond te kijken in je directe omgeving. Soms horen we ouders klagen dat het kind, meestal tussen anderhalf en drie jaar, zo veel speelgoed heeft, maar dat het niets anders wil dan achter hen aanlopen en meedoen met koken, poetsen, de was opvouwen...

Dat zijn ook de natuurlijkste activiteiten die het kind ziet in zijn omgeving. Logisch dat het dat ook wil leren. We mogen ons dus afvragen of binnen die activiteiten het kind een plaats kan krijgen.

Een rustige omgeving

Mies (4 jaar) en Henk (6 jaar) zijn rustige kinderen. Hun ouders maken regelmatig tijd vrij om samen te spelen, maar het komt ook vaak voor dat beide kinderen op de vloer spelen, terwijl mama de krant leest en papa aan de tafel wat zit te werken. Er wordt meestal rustig gesproken in huis; de geluidssterkte is aangenaam. Ook voor de kinderen is dat 'natuurlijk'.

Groot was de verbazing van de ouders toen ze Mies bezig zagen in haar kleuterklas tijden een open dag. Tussen de vierentwintig andere kinderen was Mies heel luidruchtig, liep onrustig van de ene plek naar de andere, van de ene activiteit naar de andere. Het viel hen ook op dat de juf gemakkelijk haar stem verhief om boven het rumoer van haar kleuters uit te komen. Nu begrepen ze beter waarom Mies soms zei dat er zo veel lawaai was in de klas...

Rustige ouders stralen rust uit naar hun kinderen. Die nemen de rust gemakkelijk over. Het is daarbij goed om te weten dat die rust van binnenuit moet komen. Soms is er ogenschijnlijk rust, maar zitten de ouders innerlijk onder grote druk, om welke reden ook. Ze kunnen dan wel hun best doen om die stress niet over te brengen op hun kinderen, maar die prikken dat heel vlug door en delen dan in de stress.

Een rustige omgeving betekent echter meer. De indeling van de ruimte, de volgorde van de activiteiten en duidelijke regels en afspraken zijn ook elementen die een rustige omgeving in de hand werken. Daarom is het niet ongewoon dat jonge kinderen op ogenblikken dat het 'feest' is, juist ongeduldig, hangerig of zeurderig zijn. Dat zijn meestal momenten waarop hun ouders ook meer opgewonden zijn.

Een uitdagende omgeving

Kinderen hebben een eigen temperament, maar ook zeer vlug eigen ervaringen. Dat temperament kan afwachtend zijn, de kat uit de boom kijkend, of net omgekeerd: erin vliegen, liefst eerst doen en dan denken. Positieve ervaringen kunnen ervoor zorgen dat kinderen uitdagingen aangaan omdat ze het plezierige van succesgevoelens kennen; negatieve ervaringen kunnen tot gevolg hebben dat kinderen zich voor nieuwe uitdagingen afsluiten.

Lotte (2 jaar) is van nature een beetje bang. Maar ze observeert ook goed. Door haar in een omgeving met leeftijdsgenoten te plaatsen, ziet ze die kinderen allerlei dingen doen die zij (nog!) niet durft. Dat sterkt haar vertrouwen en moedigt haar aan om die dingen ook eens uit te proberen. Zo stimuleert de omgeving haar om haar angsten te overwinnen.

Het aangaan van uitdagingen is erg belangrijk om zich te kunnen ontwikkelen. Uitdagingen zijn ofwel nieuwe dingen aanpakken, ofwel de bekende dingen doen, maar dan in een andere context.

Het is aan de ouders om hun kind voor uitdagingen te plaatsen en ervoor te zorgen dat het kind ze goed aanpakt, dat wil zeggen: op een succesvolle manier. Ouders beseffen dat mislukken steeds tot de mogelijkheden behoort. Ze zullen bewust bezig zijn met het selecteren van uitdagingen door zich af te vragen of ze wel of niet tot de mogelijkheden van het kind behoren.

Ben (1 jaar) kruipt al een tijdje. Steeds vaker ziet papa hoe hij een tafelpoot of een stoel vastpakt en zich daaraan probeert op te trekken. Hij zet dan al één voet plat op de grond en probeert zich overeind te duwen, maar dat laatste lukt nog niet. Het gebeurt dan weleens dat hij toch al een beetje overeind komt, maar dan weer zijdelings omvervalt. Papa ondersteunt de actie van Ben telkens met: 'Wil je dat nu proberen? Je merkt toch, dat je dat nog niet kunt.' Hij pakt Ben op voordat hij kan vallen.

Wie luistert naar opmerkingen naar kinderen wanneer ze actie ondernemen, zal merken dat dit voorbeeld wel meer voorkomt: ouders die hun kinderen behoeden voor het onheil (in dit geval omvallen) door ze te verhinderen om de actie uit te voeren. Daardoor krijgen kinderen niet de kans om nieuwe paden te betreden. De kans dat Ben later zal kunnen staan dan hij normaal gekund zou hebben, is groot. Als papa Ben echter helpt door hem bij zijn armen te ondersteunen, door hem bij het staan die lichte steun te blijven geven, zal hij zien hoe Ben geniet van het nieuw verworven uitzicht en hoe Ben nog meer dan tevoren zal proberen te gaan staan. Het spreekt voor zich dat dit dan ook vlugger zal lukken, want wie oefent maakt meer vooruitgang dan wie gehinderd wordt in zijn oefenen. Wanneer het kind zelf iets probeert, zijn negatieve opmerkingen uit den boze ('Jij kunt dat nog niet', 'Daarvoor ben je nog te klein', 'Dat is nog niet geschikt voor jou'). De opdracht van de ouders is dan om hun kind te helpen om de uitdaging tot een goed einde te brengen.

Opa leest de krant in zijn fauteuil, met zijn voeten op de salontafel (oma is niet in de buurt, dus dan kan dat!). Frieda (2 jaar) loopt wat rond. Ze wil langs opa lopen, maar zijn benen liggen in de weg. Frieda bukt zich, terwijl opa zijn benen wat omhoog brengt, en loopt eronderdoor. 'Hé,' zegt opa, 'jij loopt onder de brug.' Die opmerking is voldoende voor Frieda om de handeling nog eens te herhalen, en nog eens… tot opa zijn benen laat zakken. Steeds lager gaan zijn benen. Frieda bukt zich steeds dieper, kruipt zelfs op haar buik onder opa's benen door. Op zeker ogenblik lukt het niet meer. Opa ziet Frieda nadenken en tot zijn verbazing haar strategie veranderen: ze stapt over zijn benen heen. Het spel wordt voortgezet, maar nu brengt opa zijn benen steeds hoger. Samen hebben ze grote lol.

Dit voorbeeld geeft aan hoe kinderen voortdurend in kleine dingen worden uitgedaagd. Hier gaat Frieda goed mee in de aanzet die opa geeft. Als dat niet het geval is, zal opa wel wat vinden om haar toch tot het spelletje te verleiden. Het voortdurend alert blijven om de omgeving aan te passen, in het voorbeeld de hoogte van opa's benen, kan die omgeving voor het kind meer of minder uitdagend maken.

De omgeving staat open voor het kind

Dit lijkt misschien een vanzelfsprekendheid, maar wanneer we aan de eerste oppervlakkige indruk van veel gezinssituaties voorbijgaan, merken we dat openstaan voor het kind ook betekent dat we onze eigen belangen weleens opzij moeten zetten of op zijn minst een goed evenwicht moeten vinden tussen wat het kind nodig heeft en wat we zelf zouden willen.

Wanneer je in het huis van een gezin met zeer jonge kinderen komt, merk je de verschillen. Sommige woonkamers lijken wel musea waarin niets van het 'kinderlijke arsenaal' te zien is. De kinderen moeten telkens ver weg iets gaan halen om ermee te spelen en het verdwijnt onmiddellijk weer wanneer ze uitgespeeld zijn of wanneer de dag voorbij is. Het andere uiterste zijn de pakhuizen, waar niets laat vermoeden dat er door de massa's speelgoed ook nog kan worden geleefd. De kans dat het jonge kind hierin verloren loopt, is natuurlijk groot. Een goed evenwicht vinden in ruimte voor het jonge kind enerzijds, maar toch ook nog ruimte behouden voor zichzelf anderzijds, is voor alle ouders een bewuste opdracht.

Openstaan voor het kind betekent dat er in je gedachten en je planning plaats is voor je kind. Wanneer dit het geval is, zien activiteiten er anders uit.

Toen op een huwelijksfeest het bruidspaar, dat zelf al kinderen had, besliste om er een feest van te maken waarop alle (jonge) kinderen van de genodigden ook welkom waren, zag het feest er totaal anders uit. Niet alleen de feestruimte moest inspelen op de kinderen, maar ook de maaltijd en het tijdstip van het feest veranderden. Samen met de kinderen werd het een gezellig feest voor allen.

Het tijdstip van de dag

Ouders zijn niet de hele dag met hun kind bezig. Meer nog, niet iedere interactie van de ouders heeft even grote kwaliteit. Dat kan gewoonweg niet. Ouders kunnen het best momenten plannen om met hun kinderen te spelen, of bewust met hen bezig zijn op die tijdstippen dat hun kind het meeste energie heeft. Jonge kinderen hebben immers periodes gedurende de dag dat ze vol leven zitten. Zelfs van een baby van een paar weken oud kunnen de ouders al zeggen wanneer hij zijn levendige momenten heeft.

Als je met je kind echt bewust en kwaliteitsvol bezig wilt zijn, kun je dat het beste op die 'energieke' momenten doen. Honger of slaap zijn niet de beste condities om actief te worden, maar wanneer je je kind na een goed middagdutje en de fruitpap op het vloerkleed legt, kun je zelf erbij gaan liggen...

Naast een zich bewust zijn van het goede moment, is het voor ouders ook goed om te beseffen wat hun eigen betere momenten zijn. Iets wat in dit boek nog niet met zoveel woorden is gezegd, maar ondertussen waarschijnlijk wel duidelijk werd, is dat opvoeden tijd vraagt. Eerlijke tijd! Dat betekent exclusieve tijd voor het kind. Kwaliteitsvolle interacties vinden niet plaats terwijl de ouders voortdurend hun sms-berichten of mails controleren of één oog richten op hun kind en het andere op het tv-journaal. Eerlijke tijd voor je kind is tijd die ouders met hun kind doorbrengen, waarbij ze samen rond dezelfde inhoud in interactie zijn. Daarvoor hebben ouders niet de hele dag de tijd. Meer zelfs, ouders geven vaak aan dat ze daar heel weinig tijd voor hebben. Het ogenblik is dus gekomen om ook daar even bij stil te staan.

Oefening: exclusieve tijd
Ga voor jezelf na hoeveel 'exclusieve' tijd je de voorbije week voor je kinderen vrijmaakte. Ben je er tevreden over? Prachtig! Maar als je er niet tevreden over bent, is nu het moment gekomen om daar wat aan te doen!

Humor

Klein stimuleert het gebruik van humor, ook met heel jonge kinderen (ze begrijpen humor vanaf het tweede levensjaar). Hiervoor kunnen we verschillende redenen aanvoeren. Humor is het op zijn kop zetten van wat normaal is, er een draai aan geven. Kinderen die humor begrijpen, tonen daarmee hun cognitieve mogelijkheden om ongerijmdheden in een situatie te onderkennen. Het laat zien dat ze probleemgevoelig zijn en zich dingen kunnen voorstellen die er niet zijn. Maar bovendien leren ze om geen angst te hebben voor die ongerijmdheden; ze leren ermee lachen. De wereld mag weleens een beetje gek zijn. Humor leert dingen te relativeren. Humor is ook een vorm van uitbreiden, omdat steeds de hier-en-nusituatie overstegen wordt.

Als een kind humor herkent en toelaat, is dat ook een signaal dat het zich veilig voelt. Kinderen die zich onveilig voelen, ervaren humor als iets bedreigends. Ze voelen dat er iets niet klopt, maar kunnen het niet relativeren, nemen het te serieus, waardoor het ook niet te plaatsen valt. In die zin is het gebruik van humor een middel om te zien of het kind zich veilig voelt, hetgeen toch een basisvoorwaarde is in de interactie.

Daarnaast is er ook nog een bevrijdend aspect aan het gebruik van humor. In ogenblikken van spanning, wanneer het niet goed lukt, zorgt het voor 'lucht', voor op-lucht-ing. Humor verbindt. Dat alleen is al genoeg reden om humor in de relatie aan te raden.

Korneel (14 maanden) heeft geen zin in zijn soep. Mama heeft haar trukendoos helemaal opengetrokken om hem tot eten aan te zetten, maar dat heeft nog niet geholpen. Ten einde raad spert ze haar mond wagenwijd open en neemt ze zelf een lepel soep uit zijn bord. De brede open mond van mama doet Korneel lachen. Hij begrijpt dat mama een grapje maakt. Ook hij doet zijn mond nu zo ver mogelijk open. Mama geeft hem een lepel soep. Korneel slikt alles door. Mama opent weer haar mond zo wijd mogelijk, waarna Korneel haar imiteert en de volgende lepel soep doorslikt. Na elke hap wordt er flink gelachen. Wanneer de eerste happen zo zijn binnengelepeld, leidt mama Korneel af en eet hij zijn soep gewoon op.

2. Het verband tussen de omgeving en interactiekwaliteiten

Bij het lezen van de omgevingskenmerken valt het op dat ze allemaal invloed hebben op de dieper liggende doelen uit Deel III. Voldoende ruimte, duidelijke regels, een rustige omgeving die voldoende kans geeft op uitdagingen, oog hebben voor het tijdstip, het gebruiken van humor... allemaal samen zorgen ze ervoor dat het kind de mogelijkheid krijgt om nauwkeurig te leren waarnemen, om uit te breiden, om betekenis te verlenen. Deze maatregelen laten toe dat gedrag beter kan worden geregeld en dat kinderen meer kans hebben om succes te boeken, waardoor ze een positief zelfbeeld opbouwen.

- *Als Wouter leert lopen, verruimt hij zijn wereld, is er meer waar te nemen en te begrijpen.*
- *Als Rachida minder speeltjes in haar box krijgt, zal ze gerichter leren waarnemen, meer kans hebben om de mogelijkheden van wat er ligt te ontdekken en kunnen ervaren wat zij het leukste speelgoed vindt.*
- *Als Mohammed de kans krijgt om met zijn auto's te spelen in combinatie met zijn garage, zal hij verbanden leren leggen (de poort moet groot genoeg zijn voor zijn grootste auto), leren vergelijken, meer vreugde aan het spel ervaren.*
- *Als Frieda speelt met opa, zal ze de mogelijkheden van haar lichaam ontdekken, leren over hoog en laag, onder en boven.*

Zo heeft elke interactie de mogelijkheid in zich dat het kind iets leert en dat het ervaringen opdoet die het later opnieuw kan inzetten. Op die manier worden de dieper liggende doelen bereikt door goed voor de kleine dingen zorgen.

3. Kenmerken van een goede prikkel

In de interactie met kinderen gaat het ook steeds om een inhoud. Je doet samen iets, spreekt samen over iets. 'Iets' vormt de inhoud. Vele ouders zitten met de vraag wat de kenmerken zijn van een goede inhoud. We bespreken hierna drie kenmerken.

De inhoud is afgestemd op de ontwikkelingsleeftijd van het kind

We maken hier duidelijk onderscheid tussen leeftijd en ontwikkelingsleeftijd. Hoe de ontwikkeling van kinderen verloopt, vind je terug in veel opvoedingsboeken. Maar hoe de ontwikkeling van jouw kind verloopt, kun je nergens lezen, tenzij je als ouder zelf je kind goed kunt 'lezen'.

Speelgoedfabrikanten plaatsen op de verpakkingen meestal leeftijden die niet overeenkomen met de realiteit. Wanneer ouders het speelgoed dan aanbieden aan hun kind op die leeftijd, merken ze dat het kind er in de verste verte nog niet aan toe is. Toch is de leeftijd op de verpakkingen niet onjuist. Het is immers zo dat een kind voor elk speelgoed een periode nodig heeft om eraan te wennen, om de mogelijkheden ervan te leren zien. Pas als die fase voorbij is, zal het kind het speelgoed gebruiken op de wijze die de ouders ertoe bracht om het te kopen.

Tot voor kort nam Hannelore (1 jaar) in elke hand een kubusblok en sloeg die tegen elkaar. Ze kirde bij het geluid dat ze daardoor veroorzaakte. Telkens als ze stopte met dit spel, gaf ze de blokken aan mama, die ze steevast op elkaar plaatste, waarna Hannelore er niet meer naar omkeek. Tot vorige week. Ze nam een blok en zette het op een ander blok dat op de grond lag. Gelukkig was mama in de buurt om 'bravo!' te roepen voor deze eerste stapeling. Hierdoor gesteund gaat Hannelore dit nu vaker doen, waarbij ze telkens oog heeft voor de reactie van haar ouders. Indien nodig geeft ze zichzelf wel applaus...

De inhoud is de moeite waard

Er kan een groot verschil zijn tussen wat de ouders belangrijk of interessant vinden aan een inhoud en wat hun kind ervan vindt.

- *Je kunt als ouder vinden dat je kind moet weten dat fruit gezond is en dat het daarom veel fruit moet eten. Voor een kind is fruit in de eerste plaats iets om te proeven en te ruiken.*
- *Je kunt als ouder je kind uitnodigen om met de neus tegen het raam te kijken naar de sneeuwvlokken die uit de lucht vallen. Voor een kind is het belangrijker om buiten de sneeuw te voelen, met open mond een sneeuwvlok proberen te vangen, een sneeuwvlok op zijn hand zien smelten.*

'Beleven van' leidt naar 'spreken over' en is daarom belangrijk. Inhouden krijgen een invulling in de kennis van het kind door ermee bezig te zijn. Dan zal het kind de volgende keer weer gemotiveerd zijn om zich mee te laten slepen in nieuwe situaties. Daarom stellen ouders zich steeds de vraag wat de waarde van een inhoud is voor hun kind.

Een papa kwam zwaar ontgoocheld thuis met zijn oudste zoon (2,5 jaar). Ze waren samen een dagje naar de dierentuin geweest. Papa had zich voorgesteld dat zoonlief in de wolken zou zijn van de olifanten, de apen, de giraffen, kortom van alles wat groot was. Maar het liep anders. De grootste interesse van zijn zoon was uitgegaan naar de kiezelsteentjes op de wandelpaden. Daarmee was hij bijna de hele dag bezig geweest. Hij had ze verzameld in zijn jaszak, had in de buggy scheef gehangen om ze aan te raken, had ermee gevoetbald en er een paar gegooid. Daarnaast had zoonlief veel aandacht gehad voor de winkeltjes waar ijsjes en drank werden verkocht en voor de zak met zaden die ze voor de vogels had-

den gekocht. Voor papa was de dag een ferme afknapper geweest, terwijl zoonlief het heel leuk had gevonden.

De inhoud is natuurlijk

Kinderen leven hun bestaan in de wereld van elke dag. Wat er elke dag gebeurt, is voor hen normaal. Er bestaat niet zoiets als een aparte kinderwereld. Opstaan, ontbijten, gaan werken (naar kinderdagverblijf of school), eten, spelen, filmpje kijken, het slaapritueel… dat is hetgeen kinderen, net zoals volwassenen, het beste kennen.

Koos (2 jaar) helpt ontzettend graag in de keuken. Papa of mama mogen niet richting keuken gaan, of hij gaat erachteraan. 'Ik doen' is dan zijn wens en wanneer dat niet kan of mag, zeurt hij. Oma dacht papa en mama te helpen en kocht voor Koos een prachtige keukenset met een mixer, grote lepels, potjes en alles wat bij een kinderkeukenset hoort. Koos keek er amper naar, maar wanneer mama of papa naar de keuken ging, bleef hij hen achtervolgen.

Het echte leven is voor kinderen vaak boeiender dan het pseudokinderleven dat volwassenen hun aanbieden. Echt in de tuin werken, echte boodschappen doen en in de supermarkt helpen zoeken naar de juiste producten zijn activiteiten die bij kinderen aanslaan. In de wetenschap dat je kinderen mee laten doen veel meer tijd vraagt dan wanneer je het alleen doet, is het voor ouders toch een uitdaging op zoek te gaan naar momenten waarop ze wel mee kunnen doen.

Dit alles verandert in de fantasieperiode, wanneer het spel symbolisch wordt en elementen uit het 'echte' leven kunnen worden nagespeeld met eigen materiaal. Op dat ogenblik is het speelgoed een natuurlijke inhoud voor het kind.

4. Samenwerken in de zone van de naaste ontwikkeling

Mama heeft een nieuw spelletje uitgepakt. Op een houten staander met drie verticale stokken steken houten blokken in verschillende vormen en kleuren. Leentje (1,5 jaar) bekijkt het nieuwe speelgoed, grijpt een blok, merkt dat ze het naar boven kan schuiven en haalt het van de stok. Ze doet dat met alle blokken op die stok. Daarna gaat ze de blokken op de andere stok proberen. Al gauw heeft ze alle blokken van de staander afgedaan.

Nu neemt ze een blok en wil het weer over de houten stok schuiven. Ze gebruikt echter een kant waarin geen gaatje zit. Ze slaat een paar keer op de stok met het blok en wil haar pogingen opgeven, als mama tussenbeide komt. Ze neemt een blok, laat Leentje zien dat er een gaatje in zit, schuift het over de stok, en legt het terug op de tafel. Leentje neemt het blok en schuift het over de stok. Haar ogen glinsteren bij mama's 'bravo'. Met het volgende blok loopt het weer mis. Mama merkt dat Leentje de blokken steeds op dezelfde manier vastpakt en geen oog heeft voor het gaatje. Ze legt alle blokken ongemerkt zo dat Leentje ze nu pakt met het gat naar onderen, zodat ze het over de stok kan schuiven. Nog lukt het niet, want Leentje 'voelt' het midden van het blok niet en klopt met het blok op de stok. Mama focust Leentje op het gaatje, steekt er haar vinger in, buigt zich voorover (samen met Leentje) zodat het meisje kan zien hoe het gaatje over de stok komt en schuift het blok over de stok.

Leentje heeft het nu door. Ze neemt een blok, zoekt het gaatje, controleert het even door er haar vinger in te steken, buigt zich voorover en past de stok in het gaatje. Nu gaat het prima en al gauw is de hele set weer in de oorspronkelijke opstelling, waarna Leentje het proces helemaal herhaalt.

Dit voorbeeld geeft goed aan wat Vygotsky bedoelt met de zone van de naaste ontwikkeling. Leentje kan al heel goed de blokken van de stokken verwijderen. Het naar boven schuiven tot hele- maal bovenaan en het blok er dan afpakken, lukt helemaal alleen. Wanneer ze dit doet, werkt Leentje in 'de zone van haar actuele ontwikkeling'. De blokken terugplaatsen, lukt echter niet. Nu heeft mama de keuze: ofwel besluit ze dat het nog te moeilijk is voor Leentje en laat ze het spel voor wat Leentje ermee doet, ofwel gaat ze met Leentje onderzoeken of ze het kan leren. Mama moet daarbij verschillende stappen zetten. Haar eerste poging, alleen demonstreren hoe het moet, is onvoldoende. Als ze hier haar hulp afbreekt, is de kans groot dat Leentje gefrustreerd wordt en niet verder zoekt. Door het gaatje in een blok aan te wij- zen, haar vinger erin te steken en zich te buigen om stok en gaatje over elkaar te brengen, geeft ze aan Leentje de sleutel tot succes.

Als mama deze acties niet onderneemt, kan de toeschouwer alleen maar concluderen dat dit spel nog niet geschikt is voor Leentje. Door mama's interactie is de conclusie dat het spel wel geschikt is voor Leentje, mits ze de nodige hulp krijgt. Ze kan het al bijna alleen spelen, maar ze mist nog net de nodige vaardighe- den om het zonder hulp te kunnen.

Sinds de jaren zeventig is de zone van de naaste ontwikke- ling niet meer weg te denken uit de ontwikkelingspsychologie. Vygotsky bedoelt ermee: de afstand tussen het actuele ontwik- kelingsniveau, waarbij het kind problemen zelfstandig kan oplos- sen, en het potentiële ontwikkelingsniveau, waarbij het kind pro- blemen kan oplossen met de hulp van een ouder of een ander kind dat deze vaardigheid al wel ontwikkelde.

Weet hebben van de zone van de naaste ontwikkeling is bui- tengewoon belangrijk. Wanneer een kind voortdurend wordt uit- gedaagd binnen de zone van de actuele ontwikkeling, binnen wat het al zelfstandig kan, dan is er geen uitdaging. Activiteiten bin- nen die zone zijn goed om succesverhalen te schrijven, maar het succesgevoel zal steeds kleiner worden. Iets wat je elke dag succes- vol doet, geeft geen gevoel van succes meer. Echte ontwikkeling vindt plaats in de uitdaging van wat het kind nog net niet zelfstandig kan. Deze kloof overwinnen geeft een gevoel van victorie, verhoogt het zelfbeeld en nodigt uit om weer nieuwe uitdagingen aan te gaan.

Opvoeden vanuit de zone van de naaste ontwikkeling houdt ook in dat ouders niet wat het kind al kan als basis nemen, maar juist de volgende stap die het kind zal leren zetten. Dat betekent dat we testresultaten of adviezen van ongeruste opvoeders die oordelen dat het kind zich niet 'binnen schema' ontwikkelt, met de nodige korrels zout mogen nemen (als die tests werden afgenomen vanuit het standpunt dat het kind moet laten zien wat het al kan).

Opvoeden binnen de zone van de naaste ontwikkeling lijkt erg moeilijk, maar hoeft dat niet te zijn. Ouders die hun kind regelmatig observeren, weten wat hun kind kan, kennen zijn krachten en weten waar zijn belangrijkste zwakheden liggen. Met een beetje creativiteit kunnen ze net zoals de mama van Leentje ook hun kind telkens weer dat kleine stapje verder brengen.

Kinderen ontwikkelen zich op veel terreinen tegelijk en dat maakt het voor ouders niet gemakkelijk. Ze weten niet wat ze het eerst moeten aanpakken. Daarom is het concept van dit boek zo belangrijk: ga mee in wat je kind aangeeft en kijk hoe je, binnen die inhoud en in kwaliteitsvolle interactie met je kind, kunt inzetten op de dieper liggende doelen. Die doelen zorgen immers voor een basishouding die je kind ten goede zal komen om op andere ontwikkelingsgebieden ook vorderingen te maken!

Samenvatting

• Interactie tussen mensen heeft steeds een inhoud. Dat geldt dus ook voor de interactie met je kind. Deze inhouden moeten afgestemd zijn op het ontwikkelingsniveau van je kind en ze moeten voor je kind natuurlijk zijn en de moeite waard.

- Aandacht voor de omgeving waarin de interactie verloopt, kan helpen om ze nog rijker te maken. Rust, duidelijkheid, de nodige ruimte, het juiste moment, uitbreiding, humor en uitdaging zijn daarbij sleutelwoorden.
- De wetenschap dat kinderen zich het beste ontwikkelen binnen hun zone van de naaste ontwikkeling, zal ouders stimuleren om hun kinderen steeds beter te leren kennen en op hun impulsen in te spelen. Daarvoor dienen ze wel de nodige 'exclusieve tijd' in te zetten!

TOT SLOT

Het boek is geschreven, het boek is gelezen. De onzekerheid die we in het begin nog ervoeren met betrekking tot het thema, heeft plaatsgemaakt voor een overtuiging. Tijdens het schrijven groeide het besef van het belang van het concept dat we willen aanbieden.

We vertrokken vanuit de wetenschap dat kinderen zich in de eerste plaats ontwikkelen in interactie met de mensen in hun omgeving, wat ook hun ontwikkelingspotentieel is. Elke interactie wordt gedragen door drie elementen:

1. Het geloof dat elk kind zich onbeperkt kan ontwikkelen.
2. Wederkerigheid: in alles wat we met het kind doen, zit een wederzijds handelen. We doen de dingen 'bewust' samen.
3. Kennis van ontwikkeling: deze kennis moet niet academisch zijn. Het is echter wel goed om te weten welke de opeenvolgende stappen zijn die jonge kinderen zetten op verschillende gebieden (mentaal, sociaal, emotioneel, psychomotorisch, taal...).

Binnen dat geloof, de kennis en de aandacht voor wederkerigheid speelt zich de interactie af. We zorgen ervoor dat het kind zich goed voelt. Bij jonge kinderen weten we dat de elementen van het *ABC of love* daarvoor zorgen.

We stellen voor het kind vijf dieper liggende doelen. Ze hebben alle één ding gemeenschappelijk: vertrekken vanuit de 'ontwikkeling van behoefte om te'. De dieper liggende doelen zijn, met andere woorden, de weg naar intrinsieke motivatie (motivatie vanuit het kind).

De manier waarop we de dieper liggende doelen bereiken, is kwaliteitsvolle interactie. De vijf interactiekwaliteiten zijn: focussen, betekenis verlenen, uitbreiden, zich bekwaam voelen en gedrag reguleren.

Het uiteindelijke doel van dat alles is 'weten' (focussen), 'begrijpen' (uitbreiden), 'kunnen kiezen' (betekenis verlenen), 'realiseren' (gedrag reguleren) en 'voelen dat je kunt' (zich bekwaam voelen).

Dat alles speelt zich af in een omgeving die ontwikkeling stimuleert, waar rust, de nodige prikkels en uitdagingen en werken binnen de zone van de naaste ontwikkeling belangrijke kenmerken zijn.

Zo op een rijtje gezet lijkt het eenvoudig. De ervaring leerde ons dat dat niet zo is. Het is elke dag proberen, lukken en mislukken en morgen opnieuw proberen. De ervaring leerde ons meer. Ouders die echt de weg van de kwaliteitsvolle interactie gingen bewandelen, vertelden ons zonder uitzondering dat dit concept ze deugd deed, dat ze hun kinderen beter leerden kennen en dat de relatie met hun kind verbeterde. Alleen daarvoor al is het de moeite waard om het uit te proberen!

Als ons uitgangspunt klopt dat optimale ontwikkeling plaatsvindt in interactie, dan willen we elk kind graag ouders toewensen die hun kind vanuit interactie de kans bieden om zich voluit als kind te ontwikkelen. En evenzeer willen we elke ouder kinderen toewensen die hun vanuit interactie de kans bieden om zich voluit als ouder te ontwikkelen. Want daar zit de essentie van ons verhaal: opvoeden is tweerichtingsverkeer!

Succes!

Leestips

- **_Waarom liefde zo belangrijk is_ (Sue Gerhardt)**
  Schiedam: Scriptum (2004)
  Dit boeiende boek heeft ons geholpen om meer inzicht te verwerven over baby's en hun brein. In Deel 1 vertrekt de schrijfster vanuit de hersenen bij geboorte, beschrijft daarna de opbouw ervan, en staat in het derde hoofdstuk stil bij de manier waarop stress zich reeds in de eerste levensjaren vastzet in het brein. In Deel 2 wordt ingegaan op wat er fout kan lopen in de prille ontwikkeling van de hersenen en de gevolgen ervan in het verdere leven.

- **_De ontwikkeling van intelligentie_ (Stanley Greenspan en Beryl Lieff Benderly)**
  Amsterdam: Uitgeverij Contact (1998)
  De auteurs gaan op zoek naar het belang van de emotionele ontwikkeling op de totale ontwikkeling van de mens. Ze stellen zich de vraag in welke mate de eerste emotionele-ontwikkelingsstappen het leven van iemand beïnvloeden. Hun werk is vooral gebaseerd op studie, maar tevens op grote praktijkervaring met kinderen met autisme. De ontwikkelingsstappen komen in dit boek zeer uitgebreid aan bod.

- **_Wat gaat er in dat hoofdje om?_ (Stanley Greenspan en Lewis Nancy Breslau)**
  Utrecht: Lifetime (1999)
  Dit boek herhaalt grotendeels de theorie van _De ontwikkeling van intellegentie_. Het is echter veel meer geschreven voor de praktijk van elke dag. Niet alleen beschrijft Greenspan in dit boek de zevende emotionele-ontwikkelingsstap, maar daarenboven geeft hij voor elke ontwikkelingsstap een massa aan zeer bruikbare tips. Een boek om bij de hand te houden als ouder van jonge kinderen.

- *Onze hersenen. Over de smalle grens tussen normaal en abnormaal* (René Kahn)
  Amsterdam: Balans (2006)
  Vooral de inleiding en het eerste hoofdstuk van dit boek verduidelijken het verhaal van de hersenen waarover we schreven. In de inleiding worden de vorm en de functie van onze hersenen toegelicht; in het eerste hoofdstuk legt Kahn uit hoe stress ontstaat en wat de gevolgen ervan kunnen zijn.

- *Children and their Development* (Robert V. Kail)
  Upper Saddle River: Prentice Hall (2001)
  De titel van dit boek geeft zijn inhoud helemaal weer. Nadat eerst een aantal theorieën over kinderen en hun ontwikkeling in hun historische kader worden gegeven, komt elk ontwikkelingsaspect uitgebreid aan bod: sensomotoriek, psychomotoriek, cognitie, intelligentie, taal en communicatie, emoties, ontwikkeling van het zelfbeeld, gedrag, sociale en morele ontwikkeling. Alles krijgt vanuit verschillende denkpistes een invulling. Geen leesboek, wel een naslagwerk.

- *Early Intervention. Cross-Cultural Experiences with a Mediational Approach* (Pnina Klein)
  New York: Garland (1996)
  Het MISC-concept van Pnina Klein vormt de basis van ons boek. Het is vooral in artikels dat ze dit concept uitschreef, minder in boeken. Dit boekje geeft in het eerste deel de basis van haar concept, en beschrijft in het tweede deel hoe ze in zes verschillende landen, verspreid over verschillende werelddelen, dit concept in de praktijk zette. Een mooi bewijs van de universele kracht die haar MISC-concept heeft.

Bibliografie

- Bowlby, J. (1997). *Attachment and Loss.* Vol. 1: Attachment. London: Pimlico.
- Coles, R. (1997). *The moral intelligence of children.* London: Bloomsbury.
- Damasio, A.R. (1999). *Ik voel dus ik ben. Hoe gevoel en lichaam ons bewustzijn vormen.* Amsterdam: Wereldbibliotheek.
- Dodge, D.T., Colker, L.J. & Heroman, C. (2002). *The Creative Curriculum for Preschool. Teaching Strategies.* Florence: Cengage Learning.
- Elkind, D. (2007). *The power of play. Learning what comes naturally.* Cambridge: Da Capo Lifelong Books.
- Feuerstein, R., Klein, P.S. & Tannenbaum, A.J. (1993a). *Mediated learning experience (MLE). Theoretical, psychosocial and learning implications.* Tel Aviv: Freund Publishing House.
- Feuerstein, R., Rand, Y. & Rynders, J.E. (1993b). *Laat me niet zoals ik ben. Een baanbrekende methode om de cognitieve en sociale ontwikkeling te stimuleren.* Rotterdam: Lemniscaat.
- Goleman, D. (1996). *Emotionele intelligentie. Emoties als sleutel tot succes.* Amsterdam/Antwerpen: Uitgeverij Contact.
- Goorhuis-Brouwer, S. (2007). *Taalontwikkeling en taalstimulering van peuters en kleuters.* Amsterdam: Uitgeverij SWP.
- Goorhuis-Brouwer, S. (2010). *Alles op zijn tijd. Het jonge kind in pedagogisch perspectief.* Amsterdam: Uitgeverij SWP.
- Greenberg, K.H. (2000). *The Cognitive Enrichment Advantage Teacher Handbook.* Knoxville: Skylight Training and Publishink Inc.
- Greenspan, S.I. (2002). *Geef uw kind zelfvertrouwen. Veiligheid en zekerheid voor uw kind.* Utrecht: Lifetime.
- Honig, A.S. & Brophy, H.E. (1996). *Talking with Your Baby. Family as the First School.* Syracus: Syracuse University Press.

- Howard, E. (2008). *Baby & peuter lichaamstaalgids.* Utrecht: Veltman Uitgevers.
- Janssens, A. (1999). *Ontwikkeling stimuleren. Werkboek voor ouders en opvoeders.* Leuven: ACCO.
- Klein, P.S. (1992). 'More Intelligent and Sensitive Child (MISC): a New Look at an Old Question'. *Int. Jnl of Cognitive Education & Mediated Learning,* Vol. 2, No. 2.
- Klein, P.S. & Tannenbaum, A.J. (Eds.) (1992). *To be Young and Gifted.* New York: Ablex Publishing Corporation.
- Klein, P.S. (1996). *Early intervention, cross-cultural experiences with a mediational approach (0-5 years).* New York: Garland.
- Klein, P.S. (2003). *Early Intervention: Mediational Intervention for Sensitizing Caregivers.* New York: McGraw-Hill.
- Klein, P.S. (2006). 'The Literacy of Interaction: Are Infants and Young Children Receiving a "Mental Diet" Conducive for Future Learning?'. *Journal of developmental processes,* Vol. 1, No. 1.
- Klein, P.S. & Feldman, R. (2007). 'Mothers' and Caregivers' Interactive and Teaching Behavior with Toddlers'. *Early child development and care.* Vol. 177, No. 4.
- Kohn, A. (1993). *Punished by Rewards, the trouble wild gold stars, incentive plans, A's, praise and other bribes.* New York: Houghton Mifflin.
- Korczak, J. (1986). *Hoe hou je van je kind?* Utrecht: Bijleveld.
- Kozulin, A. (1990). *Vygotsky's Psychology. A Biography of Ideas.* London: Harvester Wheatsheaf.
- Lacoboni, M. (2008). *Het spiegelende brein. Over inlevingsvermogen, imitatiegedrag en spiegelneuronen.* Amsterdam: Uitgeverij Nieuwezijds.
- Lievegoed, B.J.C. (2003). *Ontwikkelingsfasen van het kind.* Zeist: Vrij Geestesleven.
- Pinker, S. (1994). *The Language Instinct.* London: Penguin Books.
- Schore, A.N. (2003). *Affect Regulation and the Repair of the Self.* New York: W.W. Norton & Company.

- Seok-Hoon Seng, A., Kwee-Hoon Pou, L. & Oon-Seng Tan (2003). *Mediated Learning Experience with Children. Applications across contexts.* New York: McGraw Hill (2003).
- Sharron, H. & Coulter, M. (1996). *Changing children's minds. Feuerstein's revolution in the teaching of intelligence.* Birmingham: Imaginative Minds.
- Stern, D. (1977). *The First Relationship. Infant and Mother.* Cambridge: Harvard University Press.
- Van der Veer, R. & Valsiner, J. (1994). *The Vygotsky reader.* Oxford: Blackwell.
- Van Dijk, P. & Van Doorn, E. (2004). *Ontwikkelingsgericht begeleiden in alledaagse situaties. Werkboek voor begeleiders van mensen met een verstandelijke beperking. Gebaseerd op de methode van Feuerstein.* Soest: Nelissen.
- Vygotsky, L. (1986). *Thought and Language.* Cambridge: The MIT Press.
- Westerman, W. & Van Oers, B. (2004). *Ontwikkelingspsychologische visies op jonge kinderen.* Baarn: Bekadidact.

Meer informatie kun je vinden op www.StiBCO.nl en www.CeSMOO.be.

IN DEZELFDE REEKS

- Peter Adriaenssens
  Gids voor succesvol opvoeden
  ISBN 978 90 5209 7153 8 | € 19,99

De rol van ouders is vandaag belangrijker dan ooit. In de eenentwintigste eeuw komt er zo veel op jongeren af, en is er nog zo weinig dat we als zeker kunnen beschouwen, dat ouders meer dan ooit de rots in de branding moeten en kunnen zijn. In dit boek houdt de bekende kinderpsychiater Peter Adriaenssens de inzichten uit de succesvolle boeken *Opvoeden is een groeiproces* en *Van hieraf mag je gaan* tegen het licht van recent onderzoek en nieuwe wetenswaardigheden. Hij geeft je de kennis door die je als ouder echt nodig hebt, zonder verloren te lopen in details. Hij pleit niet voor de absolute vrijheid, en ook niet voor de harde hand, maar voor 'warme duidelijkheid'. Met deze mix van correcte informatie en leefbare en uitvoerbare adviezen, levert dit boek een goede basis voor effectief ouderschap.

- Marc Litière
Ik kan dat niet! zegt mijn kind
ISBN 978 90 209 7387 7 | € 19,99

'Ik kan dat niet!' 'Ik durf dat niet!' 'Ik wil dat niet!' Het zijn woorden die alle kinderen weleens in de mond nemen. Vaak hebben dergelijke uitspraken een signaalfunctie. Ze kunnen erop wijzen dat je kind faalangst heeft, of andere problemen op school. Je kunt maar beter niet antwoorden met ontwijkende dooddoeners als 'Die angst groeit er wel uit', of: 'Ik was vroeger ook zo'. In dit veelgebruikte boek laat Marc Litière zien hoe je beter kunt kijken en luisteren naar je kind en zo de oorzaak van zijn of haar gedrag kunt achterhalen. Hij geeft vele concrete adviezen om met faalangst om te gaan én om faalangst te vermijden. Deze herwerkte versie van dit klassieke boek biedt heel wat concrete adviezen voor ouders, leerkrachten en hulpverleners die op een creatieve manier willen werken aan het zelfvertrouwen bij kinderen. Het boek is een houvast, een hulp en een wegwijzer voor wie in elk kind het wonder wil zien.